RATOBÚRGUER

Para Frankie, o garoto do sorriso lindo.

Agradecimentos

Gostaria de agradecer às seguintes pessoas, em ordem de importância:

Ann-Janine Murtagh, minha chefe na HarperCollins. Amo você, adoro você. Muito obrigado por acreditar em mim, mas, acima de tudo, obrigado por ser quem você é.

Nick Lake, meu editor. Você sabe que eu o considero de longe o melhor no mercado editorial, mas muito obrigado por me ajudar a crescer NÃO SÓ como escritor mas também como pessoa.

Paul Stevens, meu agente literário. Eu não lhe pagaria dez por cento (mais os impostos) por alguns telefonemas se não me sentisse um grande sortudo por ser representado por você.

Tony Ross. Você é o ilustrador mais talentoso que cabia em nosso orçamento. Obrigado.

James Stevens e Elorine Grant, os designers. Obrigado.

Lily Morgan, a copidesque. Você é demais.

Sam White e Geraldine Stroud, respectivamente gerente e diretora de marketing. Valeu.

Conheça os personagens desta história:

Pai, o pai de
Zoe

Burt, um vendedor
de hambúrgueres

Zoe, uma menina

Sheila, a madrasta
de Zoe

Sr. Al Bino, o diretor da escola

Srta. Ana, uma professora baixinha

Raj, um jornaleiro grandalhão

Tina Trotts, a valentona do pedaço

Gergelim, um hamster morto

Armitage, um rato vivo

1

Bafo de batatinha de camarão

O hamster estava morto.

Estatelado de costas.

De pernas para o ar.

Morto.

Com lágrimas escorrendo pelo rosto, Zoe abriu a gaiola. As mãos tremiam, seu coração doía. Ao colocar o corpinho peludo de Gergelim no carpete gasto, ela achou que jamais voltaria a sorrir.

— Sheila! — chamou Zoe o mais alto que conseguiu.

Apesar dos insistentes apelos do pai, Zoe se recusava a chamar a madrasta de "mãe". Nunca tinha feito isso e jurou para si mesma que nunca o faria. Ninguém poderia substituir sua mãe — não que algum dia Sheila tivesse tentado.

— Cala a boca. Tô vendo tevê e comendo! — Veio da sala a voz mal-humorada da mulher.

— É o Gergelim! — insistiu Zoe. — Ele não está bem! Aquilo era um eufemismo.

Lembrando-se de um filme que tinha visto na tevê certa noite, em que uma enfermeira tentava reanimar um velho internado em um hospital, Zoe desesperadamente tentou fazer uma respiração boca a boca no hamster. Soprou muito de leve dentro da boquinha aberta dele, mas não funcionou. Depois tentou ressuscitar o pequeno coração do roedor com uma pilha e um clipe de papel. Também não deu certo. Era tarde demais.

O corpo do hamster estava frio e duro.

— Sheila! Por favor, me ajude...! — gritou a menina.

As lágrimas brotaram em silêncio a princípio, até Zoe soltar um berro gigantesco. Finalmente ela ouviu a madrasta se arrastando pelo corredor do pequeno apartamento encarapitado no trigésimo sétimo andar de um prédio meio torto. A mulher bufava de esforço sempre que tinha que fazer alguma coisa. Era tão preguiçosa que mandava Zoe tirar as melecas de seu nariz, mas a menina sempre dizia "não", é claro. Sheila resmungava até para trocar de canal com o controle remoto.

— Puf, puf, puf, puf... — arfava Sheila, seguindo a passos pesados pelo corredor.

Ela era bem baixinha, mas, em compensação, tinha de largura o mesmo que de altura.

Resumindo: a madrasta era uma bola.

Zoe logo sentiu a presença da mulher à porta, bloqueando a luz do corredor como um eclipse lunar. E o pior: ela podia sentir o cheiro adocicado e enjoativo de batatas chips sabor camarão. Sheila adorava aquilo. Na verdade, até se gabava de que, quando era pequena, só queria comer batatinhas de camarão e que cuspia na cara da mãe quando ela lhe oferecia qualquer outro tipo de comida. Zoe achava que aquilo fedia, e nem era a camarão. Claro que o bafo da madrasta cheirava tão mal quanto as batatas.

Naquele mesmo momento, parada à porta do quarto, a madrasta de Zoe segurava um pacote daquele troço nojento com uma das mãos, a outra enfiando batatas chips na boca sem nem parar para respirar enquanto examinava a cena. Como sempre, ela usava uma comprida e imunda camiseta branca, calça legging preta e um par de pantufas cor-de-rosa. Os braços eram cobertos de tatuagens com os nomes de seus ex-maridos, todos já riscados:

— Ah, querida — disse a mulher, a boca cheia de bata-tinhas. — Ah, querida. Ah, querida. Que pena. É de partir o coração. O coitado do bichinho bateu as botas! — Ela olhou por cima do ombro da pequena enteada e espiou o hamster morto no chão. Pedacinhos parcialmente mas-tigados de batatas chips caíram no tapete enquanto ela falava. — Ah, pobrezinha de você, pobrezinha de você e blá-blá-blá — acrescentou em um tom que não soava nem remotamente triste.

Justo nesse momento, um pedaço grande de batata se-mimastigado pulou da boca de Sheila e aterrissou bem na carinha fofa do bichinho. Era uma mistura de batata chip e cuspe.* Zoe limpou Gergelim com carinho, e uma lágrima caiu de seu olho no nariz cor-de-rosa e gelado do hamster.

— Ei, tive uma grande ideia! — exclamou Sheila. — Vou só terminar este pacote e aí você pode usá-lo pra se livrar desse bicho. Eu é que não vou tocar nesse negócio. Não quero pegar uma doença.

Sheila levou o pacote aos lábios e derramou os últimos farelos de batatinha de camarão em sua boca ávida. Em seguida, estendeu à enteada o pacote vazio.

— Prontinho. Jogue aqui dentro, rápido. Antes que o apartamento todo fique fedendo.

Zoe quase engasgou com a injustiça do que a mulher tinha acabado de dizer. Era o cheiro da batata chip de ca-marão da madrasta que fazia a casa inteira feder! O mau hálito dela era capaz de fazer a tinta descascar da parede. De depenar uma ave e deixá-la careca. Se o vento mudasse de direção, daria para sentir o sopro nojento do bafo da madrasta a mais de vinte quilômetros de distância.

---

* O nome técnico disso é "batatigoto".

— Não vou enterrar o coitadinho do Gergelim em um pacote de batatinhas — disse Zoe com rispidez. — Nem sei por que chamei você. Por favor, vá embora!

— Pelo amor de Deus, menina! — gritou a mulher. — Eu só estava tentando ajudar. Sua nojentinha ingrata!

— Pois não está ajudando! — berrou Zoe, sem se virar. — Vá embora! Por favor!

Sheila saiu furiosa do quarto, batendo a porta com tanta força que um pedaço de gesso do teto caiu.

Zoe escutou a mulher que ela se recusava a chamar de "mãe" se arrastar de volta para a cozinha, com certeza para continuar a encher a pança com mais um pacote tamanho família de batata chip de camarão. A menina ficou sozinha em seu quartinho, embalando nos braços o hamster morto.

Mas como ele tinha morrido? Zoe sabia que Gergelim era muito jovem, mesmo para os padrões de um hamster. *Será que foi assassinado?*, perguntou-se.

Mas que tipo de pessoa ia querer assassinar um pequeno hamster indefeso?

Bem, antes de esta história terminar, você vai descobrir. E também descobrirá que há pessoas capazes de fazer coisas muito, muito piores. O homem mais malvado do mundo está escondido em algum lugar deste livro. Continue a ler se tiver coragem...

2

Uma menina muito especial

Antes de conhecermos esse indivíduo profundamente perverso, temos que voltar ao início da história.

A verdadeira mãe de Zoe morreu quando ela era bebê, mas a menina tinha uma vida muito feliz. Zoe e seu pai sempre formaram uma ótima dupla, e ele a amava muito. Enquanto ela estava na escola, o pai ia trabalhar na fábrica de sorvete da cidade. Ele adorava sorvete desde menino e amava trabalhar na fábrica, apesar de ser um emprego de jornadas longas, salário baixo e muito desgastante.

O que o mantinha lá era a possibilidade de criar novíssimos sabores de sorvete. No fim de cada dia de trabalho, corria empolgado para casa, levando amostras de algum sabor estranho e maravilhoso para que Zoe fosse a primeira a provar. Depois ele mostrava ao patrão aqueles de que ela tivesse gostado. Os preferidos de Zoe eram:

Explosão de Frutas

Tutti Frutti Maravilha

Turbilhão de Choconozes Caramelado

Supremo de Algodão-doce

Creme Inglês com Caramelo

Surpresa de Manga

Jujuba de Coca-Cola com Geleia

Banana com Manteiga de Amendoim

Abacaxi e Alcaçuz

Explosão Estelar Gasosa

Ela não gostava era do sabor Escargot com Brócolis. Nem mesmo seu pai podia fazer um sorvete de escargot com brócolis ficar gostoso.

Nem todos os sabores chegavam às lojas (era o caso do de Escargot com Brócolis), mas Zoe provava todos! Ela quase explodia de tanto tomar sorvete. O melhor de tudo era que muitas vezes ela era a única criança no mundo que chegava a prová-los, o que a fazia se sentir uma menina muito especial.

Só havia um problema.

Sendo filha única, Zoe não tinha ninguém com quem brincar em casa além do pai, que trabalhava até tarde na fábrica. Então, aos nove anos, ela ficou louca de vontade de ter um bichinho de estimação, como acontece com muitas crianças. Não precisava ser um hamster, ela só queria uma criaturinha, qualquer uma, para amar. Uma criaturinha que, assim esperava, retribuísse esse amor. Mas, como morava no trigésimo sétimo andar de um prédio altíssimo e meio torto, tinha que ser um bicho pequeno.

Então, no aniversário de dez anos de Zoe, seu pai lhe fez uma surpresa: saiu cedo do trabalho e foi buscá-la na escola. Colocou-a sentada em seus ombros (ela adorava isso desde bebê) e a levou até a loja de animais mais próxima para comprar um hamster.

A menina escolheu o filhote mais fofo e peludo. Chamou o bichinho de Gergelim.

Gergelim morava em uma gaiola no quarto dela. Zoe não se importava que à noite ele corresse sem parar em sua rodinha e não a deixasse dormir. Não se importava que ele às vezes mordesse seus dedos quando ela lhe dava biscoitos. Nem se incomodava por a gaiola dele feder a xixi de hamster.

Em suma, Zoe amava Gergelim. E Gergelim amava Zoe.

Ela não tinha muitos amigos na escola.

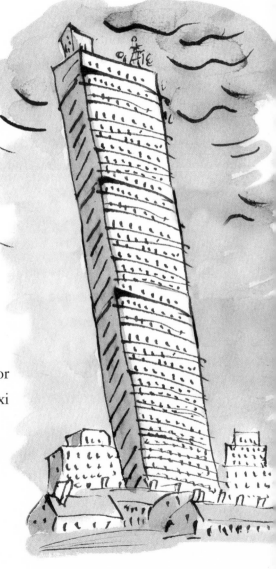

Pior: as outras crianças implicavam com Zoe por ser pequena, ruiva e usar aparelho. Só uma dessas coisas já seria ruim o bastante, mas ela havia acertado na loteria e conseguido todas as três ao mesmo tempo.

Gergelim era pequeno e ruivo também, apesar de, é claro, não usar aparelho. No fundo, tinha sido por seu tamanho diminuto e sua cor avermelhada que Zoe o havia escolhido em meio a dezenas de bolinhas de pelo fofas e amontoadas atrás da vitrine da loja. Devia ter visto nele um semelhante.

Durante as semanas e meses que se seguiram, Zoe ensinou Gergelim alguns truques impressionantes. Para ganhar uma semente de girassol, ele ficava de pé nas patinhas traseiras e fazia uma dancinha. Por uma noz, dava uma cambalhota para trás. E, por um torrão de açúcar, rolava no chão.

O sonho da menina era tornar seu bichinho mundialmente famoso como o primeiro hamster dançarino de break. Ela planejava organizar, no Natal, uma apresentação para todas as outras crianças do estado. Até fez um cartaz para anunciar o evento:

Então um dia seu pai chegou em casa do trabalho com uma notícia muito triste, que acabaria com suas vidinhas felizes...

3

Nadica de nada

— Perdi meu emprego — contou o pai.

— Não! — exclamou Zoe.

— Vão fechar a fábrica e transferir toda a produção para a China.

— Mas você vai achar outro emprego, não vai?

— Vou tentar — disse o pai. — Mas não vai ser fácil. Somos muitos e estaremos todos procurando os mesmos empregos.

Como previsto, não foi fácil. Na verdade, foi impossível. Com tantas pessoas desempregadas ao mesmo tempo, o pai de Zoe foi forçado a solicitar o seguro-desemprego ao governo. Era uma merreca, mal dava para viver. Sem nada para fazer o dia inteiro, ele foi ficando cada vez mais deprimido. No início, o pai de Zoe ia à Central de Empregos todos os dias. Mas nunca havia trabalho em um raio de cem quilômetros, de forma que, com o tempo, em vez de ir lá, ele passou a ir ao bar (Zoe sabia disso porque tinha quase certeza de que centrais de empregos não ficavam abertas até tarde da noite).

Zoe foi ficando cada vez mais preocupada com o pai. Às vezes ela se perguntava se ele tinha desistido totalmente da vida. Perder a esposa e depois o emprego... Parecia que o pai não ia aguentar.

Mal sabia ele que as coisas estavam prestes a ficar muito, muito piores...

O pai de Zoe conheceu sua nova esposa quando estava no fundo do poço. Ele se sentia solitário, e ela estava sozinha, seu último marido havia morrido em um misterioso incidente envolvendo batatinhas de camarão. Sheila parecia achar que o seguro-desemprego de seu décimo marido lhe daria uma vida fácil, com muitos cigarros e todas as batatas chips que pudesse comer.

Como sua mãe verdadeira tinha morrido quando Zoe era bebê, por mais que se esforçasse — e Zoe se esforçava muito —, não conseguia se lembrar dela. Antes havia fotos por todo o apartamento. A mãe tinha um sorriso carinhoso. Zoe ficava olhando para as fotos e tentando imitar o sorriso dela. Sem dúvida elas eram parecidas. Especialmente quando estavam sorrindo.

Um dia, porém, quando Zoe e o pai tinham saído, Sheila deu um fim a todas as fotos da casa. Elas convenientemente "sumiram". É muito provável que tenham sido queimadas. O pai de Zoe não gostava de conversar sobre a ex-esposa, porque isso o fazia chorar. Mas ela vivia no coração de Zoe. A menina sabia que sua mãe de verdade a havia amado muito. Ela simplesmente sabia.

Zoe também sabia que a madrasta *não* a amava. Nem mesmo gostava muito dela. Na verdade, a menina tinha quase certeza de que a madrasta a odiava. Sheila a tratava como se ela fosse um problema irritante ou, no melhor dos casos, como se ela fosse invisível. Zoe costumava ouvi-la dizer a seu pai que a queria fora de casa assim que fizesse dezoito anos.

— Assim a pestinha para de me explorar! — dizia a mulher.

Ela nunca tinha dado à menina nem um centavo, nem de aniversário. Naquele Natal, Sheila lhe dera de presente um lenço usado e rira na cara dela ao ver a menina desembrulhá-lo. Estava cheio de catarro.

Assim que a madrasta de Zoe foi morar com eles, exigiu que se livrassem do hamster.

— Ele fede! — gritou Sheila.

Entretanto, depois de muita gritaria e bater de portas, finalmente ficou decidido que Zoe ficaria com seu bichinho de estimação.

Sheila, porém, continuava a detestar Gergelim. Não parava de reclamar que o pequeno hamster roía buracos no sofá, apesar de, na verdade, terem sido as bitucas de seus cigarros! Várias vezes ela avisou a Zoe que ia "pisar naquele bichinho nojento" se por acaso o visse fora da gaiola.

Sheila também zombava das tentativas de Zoe de ensinar seu hamster a dançar break.

— Você tá perdendo seu tempo com essa bobagem. Não vai conseguir porcaria nenhuma com esse bicho. Tá me ouvindo? Nadica de nada!

Zoe fingia não ouvir. Ela sabia que tinha um jeito especial para lidar com animais. Seu pai sempre lhe dizia isso.

Na verdade, Zoe sonhava em viajar pelo mundo com um grande grupo de animais artistas. Um dia ela ainda ia treinar bichos para realizarem truques que encantariam todo o mundo. A menina chegou a fazer uma lista do que poderiam ser esses números artísticos meio excêntricos:

Um sapo que
arrasa como DJ

Uma tartaruga
rapper

Um casal
de gerbis
dançarinos

Um elefante que
canta ópera

Um burro que
faz mágica

Uma centopeia
que sapateia

Uma boy
band só de
porquinhos-
-da-índia

As tartarugas da dança de rua

Um gato que faz
imitações (de
gatos famosos
de desenhos
animados)

Uma porca
bailarina

Uma minhoca
hipnotista

Vacas na
corda bamba

Uma formiga
ventríloqua

Uma toupeira destemida que faz façanhas incríveis,
como ser lançada por um canhão

Águas-vivas lutando karatê

Um hipopótamo que pula
de bungee jump

Zoe tinha tudo planejado. Com o dinheiro que ganhassem, ela e o pai poderiam escapar para sempre daquele enorme prédio torto e caindo aos pedaços. Zoe poderia comprar um apartamento maior para seu pai, aposentar-se e ir morar em uma grande casa de campo, onde criaria um abrigo para animais de estimação abandonados. Eles poderiam correr pelo terreno o dia inteiro e dormir juntos em uma cama gigante à noite. "Não existe bicho grande demais nem pequeno demais, todos serão amados", ela escreveria acima dos portões da entrada.

Então, naquele dia fatídico, Zoe chegou da escola e descobriu Gergelim morto. E com ele morreram também seus sonhos de ser uma grande treinadora de animais.

Então, caro leitor, depois dessa pequena viagem no tempo, chegamos outra vez ao princípio e estamos prontos para continuar a história.

Mas não volte para o começo do livro, isso seria muita burrice e você ia ficar andando em círculos lendo as mesmas poucas páginas. Não, vá para a página seguinte, e eu vou continuar com a história. Rápido. Pare de ler isto e vá em frente. Agora!

4

Negócio sujo

— Jogue na privada e dê descarga! — gritou Sheila.

Zoe estava sentada em sua cama ouvindo através da parede a discussão entre o pai e a madrasta.

— Não! — retrucou seu pai.

— Então me dê esse bicho, seu idiota inútil! Vou jogá-lo no lixo!

Zoe volta e meia ficava sentada na cama, em seu pijama pequeno demais, ouvindo através da parede fina como papel as discussões entre o pai e a madrasta até bem depois da hora de dormir.

Naquela noite, é claro, eles estavam berrando por causa de Gergelim, que havia morrido mais cedo.

Como moravam no trigésimo sétimo andar de um dos prédios caindo aos pedaços de um conjunto habitacional (que, torto como era, deveria ter sido demolido décadas antes), a família não tinha um jardim. O que *havia* era um parquinho no pátio de concreto, compartilhado pelos moradores de todos os prédios.

Mas, graças à gangue local, era perigoso demais chegar muito perto dali.

— Tá olhando o quê? — gritava Tina Trotts para todo mundo que passava.

Tina era a valentona do pedaço, e sua gangue de marginais adolescentes mandava e desmandava no conjunto habitacional. Tinha apenas catorze anos, mas era capaz de fazer um adulto chorar, e normalmente ela fazia. Todo dia cuspia na cabeça de Zoe, lá do alto da escada, quando a menina saía para a escola. E todo dia Tina ria, como se isso fosse a coisa mais engraçada do mundo.

Se sua família tivesse algum terreno ou mesmo o menor pedacinho de gramado que pudesse chamar de seu, Zoe teria cavado um pequeno túmulo com uma colher, depositado seu amiguinho no buraco e feito uma lápide com um palito de picolé.

Gergelim,
Um hamster muito amado,
grande dançarino de break
e que quase aprendeu a dar giros radicais.

Sua dona e amiga Zoe sentirá muitas saudades.
Descanse em paz.* .

Mas é claro que eles não tinham um jardim. Ninguém tinha. Então Zoe envolveu o hamster cuidadosamente em uma folha de seu caderno de história e, quando seu pai finalmente chegou do bar, entregou a ele o precioso pacotinho.

Meu pai vai saber o que fazer, pensou ela.

A menina só não contava com a intromissão da horrenda madrasta.

Bem diferente de sua nova esposa, o pai de Zoe era alto e magro. Se Sheila fosse uma bola de boliche, ele seria um pino, e é claro que as bolas costumam derrubar os pinos.

Agora os dois estavam na cozinha discutindo o que fazer com o pacotinho que Zoe dera a ele. Era sempre horrível ouvi-los gritando um com o outro, mas naquela noite estava simplesmente insuportável.

— Acho que eu podia comprar outro hamster para a pobrezinha — sugeriu o pai. — Ela cuidava tão bem do bichinho...

Zoe se animou por um instante.

---

* Teria que ser um palito de picolé bem grande.

— Ficou maluco? — reclamou a madrasta. — Outro hamster! Você é tão inútil que nem consegue arrumar um emprego pra poder comprar um.

— Não *há* empregos — defendeu-se o pai.

— Você é que é preguiçoso demais pra arranjar trabalho, seu idiota inútil.

— Eu podia dar um jeito, pela Zoe. Amo tanto a minha menina. Podia tentar economizar um pouco do que ganho com o seguro-desemprego...

— O dinheiro do seguro mal dá pra comprar minhas batatinhas de camarão, imagine ainda ter que alimentar um bicho desses.

— Podíamos alimentá-lo com restos de comida — protestou o pai.

— Eu me recuso a ter outra criatura nojenta como aquela no meu apartamento!

— Ele não é uma criatura nojenta. É um hamster!

— Hamsters não passam de ratos — insistiu Sheila. — São até piores! E sou eu quem passa o dia inteiro de joelhos pra manter esta casa impecável.

Ela não faz nada disso, pensou Zoe. *A casa é uma imundície completa!*

— Além do mais, aquela coisinha repulsiva fazia seus negócios sujos pela casa inteira! — prosseguiu Sheila. —

E, já que estamos falando nisso, sua pontaria na privada bem que podia melhorar!

— Desculpe.

— O que você faz? Bota um chuveirinho na ponta?

— Fale baixo, mulher!

Zoe estava mais uma vez descobrindo da pior maneira possível que ouvir escondido as conversas dos dois podia ser uma atividade arriscada. Você sempre acabava ouvindo coisas que preferia nunca ter escutado. Além disso, Gergelim *não* fazia seus negócios sujos pela casa inteira. Qualquer sujeira que ele deixasse em seus passeios secretos pelo quarto, Zoe tinha o cuidado de catar com papel higiênico e jogar no vaso sanitário para não ter problemas.

— Então vou vender a gaiola — disse o pai. — Pode ser que eu consiga algum dinheiro por ela.

— *Eu* vou vender a gaiola — disse Sheila agressivamente. — Senão você vai torrar tudo no bar...

— Mas...

— Agora jogue essa coisinha nojenta no lixo.

— Eu prometi a Zoe dar a ele um enterro decente no parque. Ela amava Gergelim. Ensinava truques para ele e tudo o mais.

— Era uma coisa patética. PATÉTICA. Um hamster que dança break? Que palhaçada.

— Não fale assim!

— E você não vai sair de novo hoje à noite. Não confio em você. Vai acabar de novo no bar.

— A essa altura já fechou.

— Conhecendo você, é capaz de esperar na porta até que abra amanhã de manhã... Agora, vamos, me dê esse bicho.

Zoe ouviu o barulho do pé gordo da madrasta abrindo a tampa da lata de lixo, depois um leve baque abafado.

Com lágrimas escorrendo pelo rosto, Zoe se deitou na cama e se cobriu com o edredom. Virou-se para o lado direito. À meia-luz, ficou olhando para a gaiola, como fazia toda noite.

Era uma tortura vê-la vazia. Zoe fechou os olhos, mas não conseguiu dormir. Sentia o coração em frangalhos, e sua cabeça não parava de girar. Ficou triste, depois com raiva, depois triste, depois com raiva, depois triste de novo. Virou-se para o outro lado. Talvez dormir encarando a parede encardida fosse mais fácil do que olhar a gaiola vazia. Ela fechou os olhos de novo, mas só conseguia pensar em Gergelim.

Não que fosse fácil pensar com todo o barulho que vinha do apartamento vizinho. Zoe não sabia quem morava ali (o pessoal daquele prédio não era muito amigável), mas quase toda noite ouvia gritos. Parecia um homem gritando com a filha, que quase sempre chorava, e Zoe sentia pena de quem quer que ela fosse. Por pior que achasse que sua vida era, a daquela menina parecia pior.

Mas Zoe conseguiu ignorar os gritos e logo caiu no sono. E sonhou com Gergelim dançando break no céu...

5

Cocô de rato

Pela manhã, Zoe se arrastou para a escola com ainda mais má vontade que o normal. Gergelim tinha morrido e levara com ele seus sonhos. Quando a menina estava saindo do prédio, Tina cuspiu na cabeça dela, como sempre fazia. Zoe arrancou uma folha de caderno para limpar o cuspe do cabelo desgrenhado e foi quando viu o pai agachado em um pedacinho mínimo de grama.

Parecia estar cavando um buraco com as mãos.

O pai se virou rapidamente, como se tivesse levado um susto.

— Oi, tudo bem, meu amor?

— O que é isso? — perguntou Zoe, debruçando-se por cima do pai para ver o que ele estava fazendo.

Foi então que ela notou o pacotinho que continha Gergelim ao lado de um montinho de terra.

— Não conte à sua mãe...

— Madrasta!

— Não conte à sua madrasta, mas eu tirei o carinha da lata de lixo...

— Ah, pai!

— Sheila ainda está dormindo e roncando. Acho que não ouviu nada. Gergelim significava tanto para você... Eu só queria dar a ele, você sabe, um enterro digno.

Zoe abriu um sorriso, mas, por alguma razão, começou a chorar também.

— Ah, pai, muito obrigada, muito obrigada mesmo...

— Mas nem uma palavra sobre isso com Sheila, senão ela vai me matar.

— Prometo não contar.

Zoe se ajoelhou ao lado dele, pegou o pacotinho e botou Gergelim no pequeno buraco cavado pelo pai.

— Arranjei até um desses para fazer a lápide. Um velho palito de picolé da fábrica.

A menina pegou do bolso sua caneta toda roída e escreveu "Gergelim" no palito, mas não havia espaço para o "m", por isso ficou:

GERGELI

O pai então cobriu o buraco, e eles ficaram ali de pé olhando para o pequeno túmulo.

— Obrigada, pai. Você é o máximo...

Agora era o pai quem estava chorando.

— O que foi? — perguntou Zoe.

— Eu não sou o máximo. Sinto muito, Zoe. Mas um dia vou arranjar outro emprego. Sei que vou...

— Pai, isso não importa. Só quero que você seja feliz.

— Não quero que você me veja assim.

O pai já ia saindo quando Zoe o puxou pelo braço, mas ele se soltou e entrou no prédio.

— Vá me buscar na escola mais tarde, pai. Podemos ir ao parque e você pode me botar sentada nos seus ombros. Eu sempre adorei isso. E não custa nem um centavo.

— Lamento, filha. A essa hora estou no bar. Tenha um bom dia na escola — gritou ele, sem olhar para trás.

Estava escondendo da filha a tristeza que sentia, como sempre fazia.

O estômago de Zoe roncava de fome. Ela não jantara na noite anterior porque Sheila tinha gastado todo o dinheiro do seguro-desemprego em cigarros, portanto não havia comida em casa. Fazia um tempão que Zoe não comia nada. Então ela resolveu passar na banca de jornal de Raj.

Todas as crianças da escola iam à banca dele antes ou depois da aula. Zoe nunca tinha dinheiro para o lanche, por isso só ia até lá para ficar olhando cobiçosamente as balas e os doces. Mas, como Raj tinha um coração muito bom, ele ficava com pena e dava alguns para ela. Apenas os que estavam fora da validade ou começando a mofar, mas mesmo assim a menina ficava muito grata. Às vezes ele deixava até que ela desse umas lambidinhas em uma bala de menta, depois pedia que Zoe a cuspisse para que ele a colocasse de volta na embalagem e vendesse para algum cliente.

Naquela manhã, faminta como estava, Zoe tinha a esperança de que Raj pudesse ajudá-la...

— Aaaah! Srta. Zoe. Minha cliente favorita.

Raj era um homem grandalhão, bem-humorado e estava sempre com um sorriso no rosto, mesmo se você dissesse a ele que sua banca estava pegando fogo.

— Oi, Raj — cumprimentou Zoe, cabisbaixa. — Infelizmente não tenho dinheiro nenhum hoje, para variar.

— Nem um centavo?

— Nada. Sinto muito.

— Ah, querida. Mas você parece estar com fome. Quer dar uma mordidinha em uma dessas barras de chocolate?

Ele pegou uma barra e a desembrulhou para Zoe.

— Tente comer só a parte que sobra nas beiradas, por favor. Aí posso guardá-la de novo na embalagem e vender. O próximo cliente não vai nem perceber!

Zoe mordiscou avidamente a barra de chocolate, roendo as sobras com os dentes da frente como uma pequena roedora.

— Você parece muito triste, menina — disse Raj. Ele era muito bom em perceber quando havia algo errado e podia ser bem mais atencioso que muitos pais e professores. — Andou chorando?

Zoe parou com suas mordiscadelas por um instante e levantou a cabeça. Seus olhos ainda estavam cheios de lágrimas.

— Não, eu estou bem, Raj. Só com fome.

— Não, Srta. Zoe, posso ver que tem alguma coisa errada.

Ele se debruçou sobre o balcão e ofereceu a ela um sorriso reconfortante. A menina respirou fundo.

— Meu hamster morreu.

— Ah, Srta. Zoe, eu sinto tanto, tanto...

— Obrigada.

— Pobrezinha. Há alguns anos eu tive um girino de estimação que morreu, por isso sei como está se sentindo.

Zoe ficou surpresa.

— Um girino de estimação?

Ela nunca tinha ouvido falar em alguém que tivesse um bicho desses em casa.

— Pois é, o nome dele era Paparis. Uma noite eu o deixei nadando no aquário e de manhã, quando acordei, no lugar dele tinha um sapo horroroso. Ele deve ter comido Paparis!

Zoe não podia crer no que estava ouvindo.

— Raj...

— O quê? — O jornaleiro enxugou uma lágrima na manga do casaco. — Me desculpe, é que sempre me emociono muito quando penso no Paparis.

— Raj, girinos viram sapos.

— Deixe de ser burra, menina!

— É verdade. Então aquele sapo *era* o Paparis.

— Sei que só está dizendo isso para que eu me sinta melhor, mas sei que não é verdade.

Zoe revirou os olhos.

— Agora me fale sobre seu hamster...

— Ele é... quer dizer, era tão especial. Eu o ensinei a dançar break.

— Uau! Qual era o nome dele?

— Gergelim — respondeu Zoe com tristeza. — Meu sonho era que ele um dia aparecesse na tevê...

Raj refletiu por um instante e então olhou Zoe nos olhos.

— Você nunca deve desistir dos seus sonhos, mocinha...

— Mas Gergelim morreu...

— Mas seu *sonho* não precisa morrer. Os sonhos nunca morrem. Se você consegue ensinar um hamster a dançar break, Srta. Zoe, imagine só o que mais poderia fazer...

— Talvez...

Raj olhou para o relógio.

— Mas, por mais que eu queira, não podemos ficar aqui conversando o dia inteiro.

— Não?

Zoe adorava Raj, mesmo ele não sabendo que girinos viram sapos. Sua vontade era nunca mais sair daquela banca bagunçada.

— É melhor você ir para a escola agora, mocinha. Não vai querer chegar atrasada...

— Acho que não — resmungou Zoe.

Às vezes, ela se perguntava por que simplesmente não matava aula, como tanta gente fazia.

Raj fez um gesto com suas mãos grandes.

— Agora, Srta. Zoe, me devolva esse chocolate para eu colocá-lo de volta na prateleira...

Zoe olhou para as mãos: o chocolate havia acabado. Ela estava tão faminta que tinha devorado tudo, menos o último quadradinho.

— Ah, Raj, me desculpe. Foi sem querer. Juro!

— Eu sei, eu sei — disse o bondoso homem. — Só o embrulhe de novo. Posso vendê-lo como um chocolate especial, de dieta, para algum gordo como eu!

— Boa ideia! — disse a menina.

Zoe saiu da banca e virou-se para o jornaleiro.

— Antes que eu esqueça, obrigada. Não só pelo chocolate, mas também pelo conselho...

— Os dois sempre são de graça para você, Srta. Zoe. Agora se apresse...

Na escola, as palavras de Raj não saíram da cabeça de Zoe. Ela ficou o dia inteiro pensando no que ele havia falado, mas, quando chegou em casa, foi novamente tomada pela sensação de vazio. Gergelim estava morto. Nunca mais iria vê-lo.

Dias se passaram, depois semanas, depois meses. Zoe nunca conseguiu esquecer Gergelim. Ele era um hamsterzinho muito especial. E lhe dava muita alegria em meio a tanto sofrimento. Desde sua morte, Zoe sentia como se sua vida tivesse se transformado em uma tormenta. Aos poucos, conforme os dias passavam, a chuva havia melhorado um pouco. Mas o sol ainda não tinha voltado a brilhar.

Até certa noite, meses depois, quando algo completamente inesperado aconteceu.

Zoe estava deitada na cama após mais um dia de bullying na escola graças à temida Tina Trotts. No apartamento vizinho, as pessoas gritavam, como sempre. De repente, durante um breve momento de silêncio, ela ouviu um ruído baixinho, tão suave que no começo era quase imperceptível. Então ficou mais alto. E mais alto.

Parecia algo sendo roído.

Será que estou sonhando?, pensou Zoe. *Será que é um daqueles sonhos estranhos em que me vejo acordada na cama?*

Ela abriu os olhos. Não, não estava sonhando.

Uma criatura pequena andava pelo quarto.

Por um instante, Zoe se perguntou se não seria o fantasma de Gergelim. Ultimamente ela vinha achando no quarto umas coisinhas que se pareciam muito com cocô de rato. *Não, deixe de ser boba*, disse a si mesma. *Devem ser montinhos de poeira com formas engraçadas, só isso.*

No início, ela só conseguia ver uma sombra pequenina no canto perto da porta. Saiu da cama na ponta dos pés e foi até lá conferir o que era. O que viu foi uma coisinha pequena, suja e fedorenta. Então o piso de madeira rangeu sob seus pés.

A coisinha pequena se virou.

Era um rato.

6

Ratatouille

Quando você pensa na palavra "rato", qual é a primeira coisa que passa pela sua cabeça?

Bicho nojento?

Esgoto?

Doenças?

Mordidas?

Praga?

Ratoeira?

Ratatouille?

Os ratos são as coisas menos amadas do planeta.

Gatinhos

Cachorrinhos

Coelhinhos

Hamsters

Gerbis

Porquinhos-da-índia

Filhotes de elefante

Coalas

Porquinhos

Pinguins

Borboletas

MAIS AMADOS

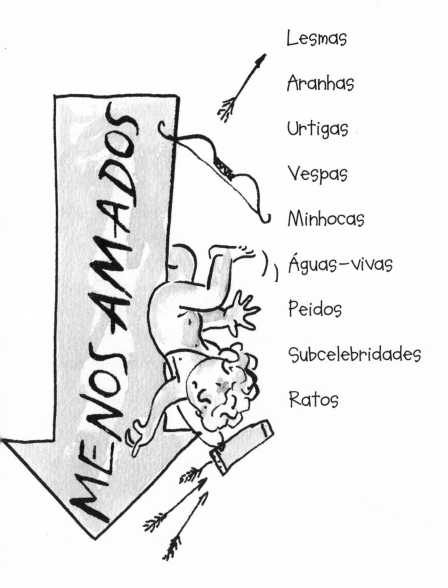

Lesmas

Aranhas

Urtigas

Vespas

Minhocas

Águas-vivas

Peidos

Subcelebridades

Ratos

MENOS AMADOS

Mas e se eu dissesse que o bichinho que Zoe encontrou em seu quarto naquela noite foi um *filhote* de rato?

Pois é, aquele era o filhotinho de rato mais lindo, fofo e pequenininho que se possa imaginar, e ele estava encolhido no canto, roendo uma das meias furadas da menina.

Com um inquieto focinho rosado, orelhas peludas e olhos enormes, profundos e esperançosos, ali estava um rato que poderia ganhar o primeiro lugar em um concurso de beleza de pragas. Isso explicava os cocôs misteriosos que Zoe vinha encontrando em seu quarto nos últimos dias. Deviam ser daquele filhotinho.

Bem, meus é que não eram.

Zoe sempre achou que ficaria apavorada se algum dia visse um rato. Sua madrasta até guardava veneno de rato na cozinha, pois sempre havia rumores de infestação naquele prédio velho.

Aquele rato, porém, não parecia muito assustador. Na verdade, parecia era estar morrendo de medo *dela*. Quando Zoe se aproximou, fazendo as tábuas do chão rangerem, ele saiu correndo rente à parede e se escondeu embaixo da cama da menina.

— Não tenha medo, pequenino — sussurrou Zoe.

Lentamente, ela enfiou a mão embaixo da cama para tentar acariciar o bichinho. Ele tremeu de medo e seu pelo se arrepiou todo.

— Calma, calma — disse Zoe, tentando tranquilizá-lo.

Aos pouquinhos, o rato atravessou o mar de poeira e sujeira que havia embaixo da cama pequena e velha de Zoe e se aproximou da mão dela. Cheirou seus dedos antes de lamber um deles, depois outro. Sheila era preguiçosa demais para cozinhar, e Zoe estava com tanta fome que havia roubado um pacote das horríveis batatinhas de camarão da madrasta. O rato deve ter sentido o cheiro daquilo em seus dedos, e, apesar da grande implicância de Zoe com aquele salgadinho, que de camarão não tinha nada, o rato pareceu não se importar.

Zoe deu uma risadinha. O focinho do rato lhe fez cócegas. Ela ergueu a mão para acariciá-lo, mas o bichinho se esquivou e disparou para o canto mais afastado do quarto.

— Psss, psss, calma, venha cá. Só quero fazer carinho em você — implorou Zoe.

O rato olhou para ela cheio de desconfiança, mas depois, aos pouquinhos, foi até a mão da menina. Ela acariciou seu pelo com o dedo mindinho o mais suavemente possível. O pelo dele era muito mais macio do que Zoe imaginava. Não tão macio quanto o de

Gergelim — nada era. Mas, ainda assim, era surpreendentemente macio.

Zoe abaixou os dedos, um a um, e logo estava acariciando a cabeça do rato. Ela alisou o pescoço e as costas dele. O rato arqueou as costas para que tocassem a mão de Zoe.

Provavelmente, ele nunca havia recebido tanto carinho antes. Com certeza, não de uma pessoa. Não só por haver no mundo veneno de rato suficiente para matar cada rato dez vezes, mas também porque, quando as pessoas viam um rato, em geral gritavam ou pegavam uma vassoura para espantá-lo.

Mas, olhando para aquele filhotinho, Zoe não conseguia entender por que alguém poderia querer fazer mal a ele.

De repente as orelhinhas do rato se ergueram, e Zoe rapidamente virou a cabeça. A porta do quarto de seu pai estava se abrindo, e a menina podia ouvir os passos pesados da madrasta andando pelo corredor e bufando sem parar. Zoe pegou o rato, segurou-o com as mãos em concha e pulou de volta na cama. Sheila ia ficar louca se soubesse que a enteada estava acariciando um roedor. Zoe puxou o edredom com os dentes e se escondeu debaixo das cobertas. Esperou e ficou atenta aos sons. A porta do banheiro rangeu ao se abrir e fechar, e Zoe ouviu o ruído abafado da madrasta sentando o traseiro no assento rachado da privada.

Zoe soltou um suspiro e abriu as mãos. O ratinho estava a salvo. Por enquanto. Ela o deixou dar uma voltinha pelas suas mãos e pela camisa de seu pijama furado. Então fez um ruído baixinho imitando beijinhos, exatamente como fazia com Gergelim. E exatamente como seu hamster, o rato se aproximou de seu rosto.

A menina deu um beijinho em seu focinho. Apertou o travesseiro e abriu um pequeno espaço nele, ao lado de sua cabeça, e pôs o rato ali com cuidado. Ele se encaixou perfeitamente, e em pouco tempo ela o ouviu começar a ressonar baixinho a seu lado.

Se você nunca ouviu um rato dormindo antes, saiba que é mais ou menos assim:

Zzzzzzzzzzzzzzzzzzzzzz Zzzzzzzzzzzzzzzzzzzzzz zzzzzzzzzzzzzzzzzzzzzzzz.

— E agora? Como é que eu vou fazer para conseguir manter você em segredo? — sussurrou Zoe.

7

Bichos difíceis de se levar escondido para a escola

Não é fácil entrar escondido com um rato na escola.

O bicho mais difícil de se levar escondido para a escola é, claro, a baleia-azul. Porque ela é enorme e muito molhada.

Também é difícil passar despercebido com hipopótamos, do mesmo modo com girafas. São, respectivamente, gordos e altas demais.

Leões não são aconselháveis. Os rugidos os entregam.

Focas fazem muito barulho. Assim como as morsas.

Gambás fedem demais, pior até que muitos professores.

Os cangurus pulam pelos corredores.

As pererecas não param quietas.*

Elefantes costumam quebrar as cadeiras.

Um avestruz pode até ajudar você a chegar rápido à escola, mas é grande demais para guardar na mochila.

Ursos-polares se camuflam perfeitamente na paisagem ártica, mas não são muito discretos na fila do refeitório.

Levar um tubarão escondido à escola seria caso de expulsão imediata, ainda mais se você tivesse aula de natação no mesmo dia. Eles têm a tendência de devorar crianças.

Orangotangos também são impossíveis. Atrapalham muito as aulas.

Gorilas são ainda piores, especialmente nas aulas de matemática. Não são nada bons com números e odeiam

---

* Não vá pensar que incluí as pererecas para arrancar uma risada fácil. Como se eu fosse fazer algo assim!

fazer cálculos, apesar de serem muito bons em francês, por incrível que pareça.

Um bando de animais selvagens é quase impossível de se levar à escola sem que algum professor perceba.

Piolhos, por outro lado, são absurdamente fáceis. Algumas crianças levam milhares deles à escola todos os dias.

Um rato também é um bicho difícil de ser levado escondido para a escola. A dificuldade está em algum ponto entre a de uma baleia-azul e a de um piolho na "escala de dificuldade de se levar escondido à escola".

O problema é que Zoe não podia deixá-lo em casa. A gaiola de Gergelim já tinha ido embora havia muito tempo, levada por sua madrasta para uma casa de penhores. A mulher horrorosa a trocara por algumas moedas, que logo foram gastas em uma enorme caixa cheia de batatinhas de camarão. Trinta e seis pacotes que ela devorou antes mesmo do café da manhã.

Se Zoe simplesmente deixasse o rato correr solto pelo apartamento, sabia que Sheila ia envenená-lo, pisar nele ou os dois. Sua madrasta não escondia de ninguém que detestava todos os roedores. E, mesmo se Zoe o escondesse em alguma gaveta de seu quarto ou em uma caixa embaixo da cama, havia grandes chances de que Sheila o encontrasse. Zoe sabia que a madrasta sempre remexia em suas coisas assim que ela saía para a escola. Sheila procurava por algo que pudesse vender ou trocar por cigarros e batatas chips de camarão.

Certo dia, todos os brinquedos de Zoe tinham sumido. Em outro, os livros que ela amava. Era muito arriscado deixar o rato sozinho no apartamento com aquela mulher.

Zoe pensou em esconder o rato na mochila, mas, como ela era muito pobre, tinha que levar seus livros em uma sacola plástica velha remendada com fita adesiva. Era um risco muito grande: o pequeno roedor podia fazer um buraco e sair. Então Zoe o escondeu no bolso interno de seu casaco. Sim, ela podia senti-lo o tempo todo se mexendo, mas pelo menos sabia que ele estava seguro.

Ao terminar de descer as escadas e chegar à área comum do prédio, ouviu um grito lá de cima:

— Zoe!

Ela olhou para cima.

Grande erro.

Uma grande cusparada de cuspe foi cuspida bem no meio da sua cara. Zoe viu Tina Trotts debruçada no corrimão da escada vários andares acima.

— HA HA HA! — Tina riu lá do alto.

Zoe se recusou a chorar. Apenas limpou o rosto com a manga do casaco e seguiu seu caminho, o riso de Tina ainda ecoando às suas costas. Ela provavelmente *teria* chorado, mas, ao sentir o ratinho se mexer em seu bolso, na mesma hora se sentiu melhor.

Agora eu tenho um bichinho de estimação de novo, pensou. *Pode ser só um rato, mas é apenas o começo...*

Talvez Raj tivesse razão: seu sonho de treinar animais para fazerem truques e divertirem o país não tinha morrido, afinal de contas.

A presença do rato continuou confortando Zoe quando ela chegou à escola. Era seu primeiro ano em uma escola grande e ainda não tinha feito nenhum amigo. A maioria das crianças era pobre, mas Zoe era a mais pobre de todas. A menina sentia muita vergonha de ter que ir à escola com roupas usadas e sujas de brechós de caridade. Roupas que ou eram grandes ou pequenas demais para ela, e a maioria cheia de buracos. A sola de borracha de seu sapato esquerdo estava prestes a cair e fazia barulho quando ela andava.

FLIP FLAP FLIP FLAP FLIP FLAP faziam seus sapatos aonde quer que ela fosse.

FLIPIT FLAP FLIPIT FLAP FLIPT FLAP se ela corresse.

Na assembleia com os alunos, após o anúncio do show de talentos no fim do ano letivo, o diretor, um homem mais branco do que cera chamado Sr. Al Bino, pediu a palavra. Ele parou no meio do palco, sem piscar, encarando as centenas de estudantes reunidos no auditório da escola. Todos tinham um pouco de medo dele. Com aqueles olhos arregalados e aquela pele tão branca, não faltavam

boatos entre as crianças menores de que, na verdade, ele era um vampiro.

O Sr. Al Bino começou a dar um aviso àqueles "alunos desobedientes" que, indo contra as regras, continuavam a levar escondidos seus telefones celulares para a escola. Era praticamente todo mundo, apesar de Zoe ser pobre demais para sequer sonhar ter um.

Ótimo, pensou Zoe. *Até quando estamos levando uma bronca eu fico de fora.*

— Nem preciso dizer que não estou falando apenas de celulares! — A voz grave do

Sr. Al Bino ecoou pelo auditório, como se estivesse lendo a mente de Zoe. Ele podia ser ouvido do outro lado de um pátio cheio na hora do recreio e fazia todos os alunos ficarem em silêncio imediatamente. — *Qualquer coisa* que faça bipe ou vibre é estritamente proibida! Vocês me ouviram? Proibida! Isso é tudo. Estão dispensados.

O sinal tocou e as crianças se dirigiram para suas salas. Sentada sozinha na cadeira de plástico cinza e desconfortável na última fileira do auditório, Zoe se perguntou, nervosa, se seu rato se encaixava na descrição do Sr. Al Bino. Ele se mexia tanto que praticamente vibrava. E às vezes fazia bipe. Ou pelo menos guinchava.

— Não faça nem um barulho hoje, ratinho — pediu ela.

O rato guinchou.

Ah, não!, pensou Zoe.

8

Sanduíche de pão

Para não ser esmagada ao tentar passar pela porta, Zoe esperou alguns instantes antes de ir para a sala de aula. Era aula de matemática, que, para sua surpresa, transcorreu sem problemas, embora ela sempre tivesse achado essa matéria absurdamente chata. Assim como a de geografia, em que ela se perguntou como seu conhecimento recém-adquirido a respeito dos lagos em forma de ferradura viria a ser útil em sua vida adulta. Durante as aulas, volta e meia Zoe espiava discretamente o bolso de seu casaco. O ratinho estava dormindo. Ele devia gostar mesmo de um lugarzinho confortável para tirar um cochilo.

Na hora do recreio, Zoe se trancou em uma cabine do banheiro feminino e alimentou o rato com um pouco do pão que deveria estar economizando para o almoço. Ela levava o almoço de casa sempre que sobrava alguma comida no apartamento. Naquela manhã, porém, não havia absolutamente nada na geladeira além de algumas latas de cerveja, então ela havia preparado um sanduíche de pão usando fatias velhas...

A receita era simples:

SANDUÍCHE DE PÃO

Ingredientes: *três fatias de pão.*

Preparo: pegue uma fatia de pão e ponha entre as outras duas fatias de pão.

Prontinho.*

Não foi surpresa que o rato gostasse de pão. Ratos gostam de praticamente toda comida de que gostamos.

Zoe sentou na tampa do vaso sanitário. Segurou o rato com a mão esquerda enquanto o alimentava com a direita. Ele devorou até a última migalha.

---

* Meu novo livro, *101 receitas de sanduíche de pão,* será lançado no ano que vem.

— Prontinho, pequenino...

Naquele instante, Zoe percebeu que ainda não tinha batizado seu amiguinho. E, a menos que quisesse escolher um nome que servisse tanto para menino quanto para menina, como "Kim", "Farofa" ou "Xereta", ela precisava descobrir o sexo dele primeiro. Então, com todo o cuidado, Zoe levantou o rato para olhar mais de perto. Enquanto tentava fazer um exame mais detalhado, um jato fino de líquido amarelo jorrou de baixo da barriga do rato, quase acertando Zoe e decorando a parede.

A menina agora tinha uma resposta definitiva. Ela se convenceu de que o xixi havia saído de um tubinho, apesar de ser impossível olhar de novo com o rato se mexendo sem parar em suas mãos.

Mas ela tinha certeza de que era um menino.

Zoe procurou inspiração. Na porta da cabine, algumas meninas mais velhas haviam riscado frases obscenas com um compasso.

"Di é uma completa @**$$$$&!%^!%!!!!", leu Zoe, e acho que todos concordamos que é uma frase grosseira, mesmo que ela seja mesmo tudo aquilo.

Di seria um nome idiota para um rato. Ainda mais para um rato menino, pensou a garota. Ela continuou a procurar inspiração nos nomes escritos na porta.

Rochele... não.

Dario... não.

Brutus... não.

Túlio... não.

Jamilene... não.

Binho... não.

Madalena... não.

Kelly... não.

Beyoncé... não.

Robledo... não.

Chantele... não.

Apesar de coberta de palavras (e alguns desenhos bem indecentes), aquela porta não estava fornecendo tanta inspiração quanto Zoe esperava. Ela se levantou da tampa do vaso e se virou para dar descarga, assim a menina que ela podia ouvir na cabine ao lado não estranharia. Naquele instante, ela viu algo escrito com uma letra elegante em meio a todas as manchas do vaso sanitário.

— "Armitage Shanks" — leu em voz alta.

Era apenas o nome do fabricante da privada, mas as orelhinhas do rato se mexeram quando ela disse as palavras, como se em reconhecimento.

— Armitage! É isso! — exclamou Zoe.

Era um nome que soava apropriadamente elegante para aquele carinha tão especial.

De repente ela ouviu uma batida alta e seca na porta da cabine.

BOOM
BOOOM
BOOOOM.

— Quem é a infeliz que tá aí dentro? — perguntou uma voz gutural.

Não!, pensou Zoe. *É Tina Trotts.* Ela ainda nem tinha conseguido limpar toda a saliva da cusparada daquela manhã do rosto sardento.

Tina tinha apenas catorze anos, mas era forte como um caminhoneiro. Tinha mãos grandes para socar, pés grandes para chutar, um cabeção para dar cabeçadas e uma bunda grande capaz de esmagar um pobre coitado.

Até os professores tinham medo dela. Dentro da cabine, a menina tremia de medo.

— Não tem ninguém aqui — disse Zoe.

Por que eu disse isso?, pensou imediatamente. O simples fato de dizer que não havia ninguém ali significava com certeza, sem a menor dúvida, que havia alguém ali.

Zoe corria um perigo terrível, mas só se abrisse a porta. Por enquanto estava segura no interior da...

— Saia daí agora mesmo, antes que eu arrombe a porta! — ameaçou Tina.

Droga.

9

O sapato

Zoe colocou rapidamente Armitage de volta no bolso do casaco.

— Estou só fazendo xixi! — disse Zoe.

Então ela apertou os lábios, soprou e fez um barulho lamentável que com sorte ia parecer água batendo no vaso. No fim, soou mais como o sibilar de uma cobra:

— Sssssssssssssssssssssssssssssssssssssssssssssss
sssssssssssssssssssssssssssssssssssssssssss..........

Claro que Zoe tinha esperança de que isso convencesse Tina Trotts de que ela estava usando o banheiro por um motivo óbvio, e não para alimentar um roedor de rabo comprido com um sanduíche de pão.

Zoe então respirou fundo e abriu a porta. Tina encarou-a. Estava flanqueada por duas de suas capangas de sempre.

— Oi, Tina — disse Zoe, sua voz algumas oitavas acima do normal.

Ao tentar se fazer de inocente, ela percebeu que, na verdade, parecia extremamente culpada.

— Ah, é você! Com quem estava falando, sorriso metálico? — perguntou Tina, agora se inclinando para ver o interior da cabine.

— Comigo mesma. Tenho essa mania de falar sozinha quando estou tirando água do joelho...

— Quando está o quê?!

— Hum... fazendo xixi? Então, se vocês me derem licença, preciso ir para a aula de história...

Com isso, Zoe tentou passar com naturalidade por Tina e sua infantaria.

— Não tão rápido — disse Tina. — Eu e meu pessoal somos donas dessas privadas. Vendemos coisas roubadas aqui. Então, a menos que queira comprar o sapato que a gente afanou, cai fora!

— Você não quis dizer os sapatos? — indagou Zoe.

— Não. Eu disse o sapato. Eles só botam um dos pés na vitrine, então é muito mais fácil roubar esse do que o par.

Humm, pensou Zoe. *Por que alguém ia querer comprar apenas um pé do sapato?*

— Escute, ruivinha — prosseguiu a grandalhona. — Não queremos você aqui nas nossas privadas. Ouviu? Você ficar falando sozinha que nem uma maluca espanta os fregueses...

— Claro — balbuciou Zoe. — Sinto muito, Tina.

— Agora passe a grana pra mim.

— Eu não tenho nenhum dinheiro.

E era verdade. Seu pai estava vivendo de seguro-desemprego havia anos, então nunca lhe dava mesada. No caminho para a escola, ela sempre procurava alguma moeda perdida na calçada. Em seu dia de maior sorte, conseguiu achar uma nota de cinco libras na sarjeta! Estava molhada e suja, mas era dela. Ao voltar para casa, felicíssima, parou na banca de Raj e comprou uma caixa inteira de bombons para dividir com a família. Mas, antes que seu pai chegasse, Sheila já tinha comido todos, até aqueles horríveis com licor de cereja, e depois comeu a caixa também.

— Não tem grana? Papo furado — disse Tina, soltando muitos perdigotos, como sempre fazia, o que deixava seu interlocutor coberto de saliva.

— Como assim? — disse Zoe. — Você mora no mesmo prédio que eu. Sabe que não tenho dinheiro nenhum.

Tina riu com desdém.

— Aposto que você ganha mesada. Você está sempre andando por aí como se fosse a dona do lugar. Garotas, segurem ela.

Na mesma hora, as duas comparsas cercaram nossa heroína. Seguraram-na com força pelos braços.

— Aaaaaaaiiiiii! — gritou Zoe de dor.

As unhas das garotas se cravavam nos bracinhos finos de Zoe enquanto as mãos grandes e sujas de Tina começaram a examinar seus bolsos.

Seu coração se acelerou. Armitage estava dormindo aconchegado no bolso interno de seu casaco. Os dedos gorduchos de Tina estavam revistando tudo. Em segundos encontrariam o pequeno roedor, e a vida de Zoe na escola mudaria para sempre.

Levar um rato para a escola era algo que todos iam lembrar por muito tempo.

Certa vez, um garoto mais velho tinha mostrado o traseiro pela janela do ônibus em um passeio da escola ao museu de trens. Depois disso, ele passou a ser chamado de "Bunda Cabeluda" por todo mundo na escola, até pelos professores.

O tempo pareceu ficar mais lento e em seguida se acelerou quando a procura de Tina inevitavelmente chegou ao bolso interno do casaco de Zoe. Ela enfiou os dedos lá dentro e acertou o coitadinho do Armitage bem no focinho.

— O que é isso? — perguntou ela. — A ruivinha tem alguma coisa viva aqui dentro.

Bem, Armitage não deve ter gostado muito de ser cutucado no focinho por um dedo grande e sujo, porque deu uma mordida na mão de Tina.

— Aaaaaaaaaaaaaaaaaaaaaaiiiiiiiiii iiiiiiiiiiiii!!!!!!!!!!!!!!

A mão dela saiu rapidinho do bolso de Zoe, mas Armitage veio junto, pendurado na ponta de seu dedo por seus dentinhos afiados.

— EEEEeeeeeeeeeeeCCCCCCC CAAAAAAAAAA!!!!!!!! — gritou Tina. — É um rato!

10

A Anã

— É só um filhote de rato — argumentou Zoe, tentando acalmar Tina. Estava com medo de que ela o batesse em alguma coisa e o machucasse.

Tina começou a sacudir a mão com força, mas o ratinho não soltava. As outras valentonas ficaram imóveis como estátuas, procurando em seus cérebros diminutos a reação apropriada a "rato preso no dedo". Mas, como era de se esperar, não conseguiram pensar em nada.

— Fique parada — disse Zoe.

Tina não parava de correr de um lado para o outro.

— Eu disse para *ficar parada*.

Aparentemente surpresa com o tom autoritário da menina ruiva, Tina obedeceu.

Com cuidado, como se estivesse lidando com um urso furioso, Zoe agarrou a mão de Tina.

— Venha, Armitage...

Ela delicadamente soltou os afiados dentes do rato do dedo da grandalhona.

— Pronto, passou — disse Zoe como um dentista se dirigindo a uma criança após uma obturação simples. — Está tudo bem. Não foi tão ruim.

— Esse @**$$$$&!%^!%!!!! me mordeu! — protestou Tina, revelando ser a provável autora da mensagem ofensiva na porta da cabine. Ela examinou o próprio dedo: havia duas gotículas de sangue na ponta.

— Tina, são só dois furinhos de alfinete — respondeu Zoe.

As duas capangas esticaram os pescoços compridos para ver mais de perto e balançaram a cabeça, concordando com Zoe. Isso enfureceu Tina, e seu rosto ficou vermelho e quente como um vulcão prestes a entrar em erupção.

Por um instante, um silêncio sombrio reinou no banheiro.

Agora eu vou morrer, pensou Zoe. *Ela vai mesmo me matar.*

Então o sinal do recreio tocou.

— Bem, se vocês nos dão licença — disse Zoe, com mais calma do que realmente sentia. — Armitage e eu não queremos nos atrasar para a aula de história.

— Que nome é esse? — rosnou uma das comparsas.

— Hã... é uma longa história. — Nunca que Zoe diria a elas que tinha escolhido aquele nome por causa de uma privada. — Outra hora eu explico. Até mais!

As três valentonas estavam chocadas demais para detê-la. Com seu amiguinho protegido dentro da mão em concha, Zoe saiu do banheiro. Assim que passou pela porta, se deu conta de que, na verdade, estava prendendo a respiração e que talvez devesse voltar a respirar. Então deu um beijinho na cabeça de Armitage.

— Você é meu anjo da guarda! — sussurrou antes de colocá-lo cuidadosamente de volta no bolso do casaco.

Zoe de repente se deu conta de que Tina e sua gangue podiam estar seguindo-a, então apertou o passo sem olhar para trás. Primeiro começou a andar mais rápido, depois correu e, sem que percebesse, já estava sentada sem fôlego na aula de história, que era dada pela Srta. Ana. Como a professora era uma moça excepcionalmente baixinha, fora apelidada de Srta. Anã, ou simplesmente Anã.

Ela estava sempre usando botas de couro de cano alto que a faziam parecer ainda menor. Mas o que lhe faltava em altura Srta. Ana compensava com ferocidade. Seus dentes não ficariam estranhos na boca de um crocodilo. E ela trincava esses dentes sempre que um aluno fazia algo que a desagradasse, o que acontecia com frequência. As crianças não precisavam se esforçar muito para enfurecê-la. Até mesmo um espirro ou uma tosse involuntários podiam resultar em uma bronca monstruosa da pequena porém assustadora professora.

— Você está atrasada — rosnou a Srta. Ana.

— Sinto muito, Srta. Anã — disse Zoe, sem pensar.

Ah, não.

Ela ouviu alguns risinhos pela sala, mas a maioria das crianças ofegou. Zoe estava tão acostumada a chamá-la de "Srta. Anã" que sem querer tinha feito isso na frente dela.

— O que você disse? — perguntou a professora.

— Eu disse que sinto muito, Srta. Ana — corrigiu-se Zoe apressadamente.

Por ter vindo correndo do banheiro, o suor agora brotava em abundância de seus poros. Zoe parecia ter sido pega por uma terrível e perigosa tempestade. E Armitage estava se mexendo muito, provavelmente porque o bolso do casaco, sua mais nova casa, de repente ficara úmido de suor quente. Devia estar uma sauna lá dentro! Discretamente, Zoe levou a mão ao

peito e deu tapinhas afetuosos para acalmar seu amiguinho.

— Se você se comportar mal só mais uma vez... —
advertiu a Srta. Ana —, vai ser expulsa não só desta sala
de aula mas da escola.

Zoe engoliu em seco. Era nova naquela escola e não
estava acostumada a se meter em encrencas. Nunca tinha

feito nada de errado em sua antiga e pequena escola, e só *pensar* em fazer alguma coisa de errado já a deixava com medo.

— Agora voltemos à aula. Hoje vocês vão aprender mais sobre... a Peste Negra! — anunciou a Srta. Ana enquanto escrevia as palavras o mais alto possível no quadro-negro, ou seja, na parte mais baixa.

Escrever no quadro era, na verdade, um grande problema para a Srta. Ana. Às vezes ela mandava uma criança ficar de quatro no chão.

A pequena professora então subia naquele aluno para poder alcançar o topo do quadro e apagar o que o professor da matéria anterior tinha escrito. Se esse professor fosse muito alto, bastava chamar mais crianças e empilhá-las.

A Peste Negra não estava no programa da escola, mas a Srta. Ana dava a matéria mesmo assim. Reza a lenda que, certa vez, uma turma inteira tinha sido reprovada porque, em vez de dar aulas sobre a rainha Vitória, ela passara o ano letivo inteiro descrevendo, nos mínimos detalhes, os métodos de tortura medieval de enforcamento e esquartejamento. A professora se recusava a ensinar qualquer coisa que não fossem as passagens mais terríveis da história: decapitações, chicoteamentos, gente sendo queimada em fogueiras... Ela ria e mostrava os dentes de crocodilo à menção de qualquer ato cruel, bárbaro e brutal.

E naquele semestre a Srta. Ana vinha falando só sobre a Peste Negra. Era sua grande obsessão. O que aliás não era surpresa nenhuma, pois foi um dos períodos mais sombrios da história da humanidade. Aconteceu no século XIV, quando cem milhões de pessoas morreram de uma terrível doença contagiosa. As vítimas ficavam cobertas de pústulas, vomitavam sangue e morriam. A causa, eles haviam aprendido na aula anterior, era uma simples picada de pulga.

— Pústulas do tamanho de maçãs! Imaginem só. Vomitar até restar apenas o próprio sangue para botar para fora! Nem dava tempo de cavar tantas sepulturas! Maravilhoso!

As crianças encaravam boquiabertas a Srta. Ana. Foi nesse momento que o diretor, o Sr. Al Bino, entrou na sala de aula sem bater, com seu casaco comprido esvoaçando atrás dele como uma capa. As crianças bagunceiras do fundo da sala que haviam passado a aula inteira mandando mensagens de texto esconderam rapidamente os celulares embaixo das carteiras.

— Ah, Sr. Al Bino, a que devo o prazer? — perguntou a Srta. Ana, sorrindo. — É sobre o show de talentos?

Zoe desconfiava havia muito tempo que a professora tinha uma quedinha pelo diretor. Naquela mesma manhã, Zoe tinha passado por um cartaz no corredor sobre o show de talentos que a Srta. Ana estava organizando. O cartaz, claro, estava pregado bem baixo na parede, na altura dos joelhos para a maioria dos alunos. Parecia não ter nada a ver com a personalidade da mulher organizar algo tão divertido, e Zoe se perguntou se ela só havia feito isso para impressionar o diretor. Todos sabiam que o Sr. Al Bino, apesar de sua aparência assustadora de vampiro, adorava as peças da escola e outros eventos culturais do tipo.

— Bom dia, Srta. Anã, quer dizer, Srta. Ana... — Nem o Sr. Al Bino conseguia evitar!

O sorriso da professora de história desapareceu imediatamente.

— Infelizmente não é sobre o show de talentos, apesar de eu estar muito grato à senhorita por organizá-lo.

A Srta. Ana sorriu de novo.

— Não — falou o Sr. Al Bino com sua voz grave. — Infelizmente, é algo muito mais sério.

O sorriso da professora desapareceu outra vez.

— Acontece — prosseguiu o diretor —, que o zelador achou... hã... cocô no chão do banheiro feminino.

11

A Peste Negra

Todas as crianças da turma começaram a rir quando o diretor falou "cocô", menos Zoe.

— Fizeram cocô no chão do banheiro, senhor?! — perguntou, rindo, um dos meninos.

— Não era cocô de gente! Era de algum bicho! — gritou o diretor. — O Sr. Bunsen, chefe do departamento de ciências, está no momento estudando o material para saber de que animal veio. Mas desconfiamos que tenha sido algum tipo de roedor...

Armitage se remexeu, e Zoe engoliu em seco. Um cocô infeliz devia ter caído no chão do banheiro sem que ela visse.

Fique muito, muito quietinho, Armitage, pensou Zoe.

Mas infelizmente Armitage não sabia ler pensamentos.

— Se algum aluno acha aceitável trazer um animal de estimação para esta escola, vou logo avisando que isso é proibido. Estritamente proibido! — declarou o diretor diante da turma.

Era engraçado ver os dois professores parados lado a lado, tamanha a diferença de altura entre eles.

— Qualquer aluno que for encontrado com qualquer tipo de animal nesta escola será imediatamente suspenso. Isso é tudo!

E com isso ele se virou e saiu da sala.

— Excelente! Até logo, Sr. Al Bino...! — despediu-se a Srta. Ana enquanto ele saía. Ela ficou observando-o se afastar com uma expressão sonhadora no rosto. Em seguida, virou-se novamente para os alunos. — Certo, vocês ouviram o Colin, quer dizer, o Sr. Al Bino. É proibido trazer animais de estimação para a escola.

Todas as crianças se entreolharam e começaram a murmurar.

— Trazer um bicho de estimação para a escola? — Zoe podia ouvi-los dizer uns para os outros. — Quem seria tão idiota de fazer isso?

A menina ficou paradinha na cadeira, olhando fixamente para a frente, tentando não chamar atenção.

— SILÊNCIO! — ralhou a Srta. Ana, e todos ficaram quietos. — Não é hora para conversa! Vamos continuar nossa aula. A Peste Negra.

Ela sublinhou essas três palavras no quadro.

— E, então, como essa doença incrivelmente mortal chegou à Europa vindo lá da China? Alguém sabe? — perguntou a mulher, sem se virar. Ela era uma daquelas professoras que faziam perguntas mas não esperavam pelas respostas. Então, um milissegundo depois, ela mesma respondeu: — Ninguém? Os *ratos* trouxeram a doença letal. Ratos a bordo de navios mercantes.

A menina não conseguia sentir mais os movimentos de Armitage e soltou um suspiro de alívio. Ele devia estar dormindo.

— Mas não foi culpa dos ratos, foi? — perguntou Zoe de repente, sem nem mesmo levantar a mão.

Ela se recusava a acreditar que os ta-ta-ta-ta-ta-ta-ta--taravós de seu amiguinho pudessem ser responsáveis por um sofrimento tão grande. Armitage era bonzinho demais para fazer mal a alguém.

A Srta. Ana girou sobre as botas (que, apesar de terem salto, não a deixavam com uma estatura nem mediana).

— Você disse alguma coisa, criança? — murmurou a professora como uma bruxa lançando um feitiço.

— Disse, disse, sim... — respondeu Zoe sem pensar, agora começando a lamentar não ter ficado de boca fechada. — Sinto muito, mas eu só queria dizer, professora, que a senhorita na verdade não deveria culpar os ratos por essa doença terrível, pois não foi culpa deles. As verdadeiras responsáveis foram as pulgas, que pegaram carona nas costas dos ratos...

Todas as crianças na sala agora olhavam para Zoe sem acreditar. Apesar de aquela ser uma escola barra-pesada e os professores frequentemente pedirem demissão por causa de colapsos nervosos, ninguém *nunca* interrompia a Srta. Ana, muito menos para sair em defesa dos ratos.

A sala caiu em silêncio mortal. Zoe olhou ao redor. Todas as crianças olhavam para ela. A maioria das garotas parecia enojada, e a maioria dos meninos estava rindo.

Então Zoe de repente começou a sentir uma tremenda coceira coceirenta em sua cabeça. Talvez a coceira mais coceirenta a coçar de todos os tempos. Era, em outras palavras, incoçável.

Mas que diabos é isso...?, perguntou-se.

— Zoe — disse a Srta. Ana com desprezo, olhando atentamente para o mesmíssimo lugar em que Zoe sentia a coceira na cabeça.

— Sim, professora? — respondeu Zoe na maior inocência.

— Tem um rato na sua cabeça...

12

Suspensão imediata

Qual é a pior coisa que poderia acontecer com alguém na escola?

Chegar de manhã e perceber, ao atravessar o pátio, que se esqueceu de vestir todas as roupas a não ser a gravata do uniforme?

Ficar tão preocupado em acertar todas as questões da prova que seu estômago se revira demais e faz seu traseiro explodir?

Comemorar depois de marcar um gol no jogo de futebol para então ser avisado pelo professor de educação física que foi um gol contra?

Traçar sua árvore genealógica em uma aula de história e descobrir que é parente do diretor?

Ter um acesso de espirros incontrolável na frente do coordenador e cobri-lo dos pés à cabeça de meleca?

Achar que o dia de ir sem uniforme à escol...
usar uma fantasia e passar o dia inteiro vestido...
Gaga?

Interpretar Hamlet na peça de Shakespeare e, no meio do "Ser ou não ser...", sua tia se levantar na plateia, cuspir em um lenço e correr até o palco para limpar uma sujeirinha no seu rosto?

...s tênis depois da aula de educação física e o ...star tão forte que o vestiário passa uma semana ...ditado?

Exagerar no feijão na hora do almoço e passar a tarde inteira soltando pum?

Levar um rato escondido no casaco para a escola e ele subir na sua cabeça no meio da aula?

Qualquer uma dessas opções seria suficiente para fazer você entrar para a lista dos alunos mais infames, aqueles famosos por todas as razões erradas. Com o incidente do "rato na cabeça", Zoe estava prestes a entrar para sempre na lista da vergonha.

— Tem um rato na sua cabeça — repetiu a Srta. Ana.

— Ah, é, professora? — disse Zoe, fingindo inocência.

— Não se preocupe — disse a professora. — Fique aí bem paradinha que vamos chamar o zelador. Tenho certeza que ele vai conseguir matá-lo.

— Matar? Não!

Zoe então levou a mão à cabeça e pegou o roedor de cima de seu cabelo ruivo agora ainda mais emaranhado e o segurou junto ao peito. As crianças ao redor se levantaram de suas carteiras e se afastaram.

— Zoe... esse rato é *seu*? — perguntou a mulher, desconfiada.

— Hã... não.

Nesse instante, Armitage subiu pelo braço dela e entrou no bolso do casaco.

Zoe baixou os olhos para ele.

— Hum...

— Ele acabou de entrar no seu bolso, não foi?

— Não — disse Zoe. Uma resposta ridícula.

— Está claro — disse a Srta. Ana — que este animal imundo é seu bicho de estimação.

— Armitage não é um animal imundo!

— Armitage? De onde você tirou esse nome?!

— Ah, é uma longa história, professora. Veja, ele agora está aqui quietinho no meu bolso. Pode continuar.

A professora e o restante da turma ficaram tão pasmos com a naturalidade de sua resposta que, por um instante, ninguém soube o que dizer ou fazer. O silêncio era ensurdecedor, mas não durou muito.

— Você ouviu o diretor — rugiu a Srta. Ana. — Suspensão imediata!

— Mas, mas, mas eu posso explicar...

— FORA! FORA DA MINHA SALA, SUA GAROTINHA MÁ! E LEVE ESSA CRIATURA REPULSIVA COM VOCÊ!

Sem olhar nos olhos de ninguém, Zoe juntou seus livros e canetas em silêncio e os colocou em sua sacola plástica. Empurrou a cadeira para trás, que soltou um guincho ao arranhar o piso reluzente.

— Com licença — disse Zoe para ninguém em especial.

Ela caminhou o mais silenciosamente possível até a porta e levou a mão à maçaneta...

— EU DISSE "SUSPENSÃO IMEDIATA"! — berrou a Srta. Ana. — NÃO QUERO VÊ-LA ATÉ O FIM DO SEMESTRE!

— Hum... então tchau, né? — falou Zoe, sem saber o que dizer.

A menina abriu a porta devagar e a fechou silenciosamente após sair. Ela podia ver trinta rostinhos distorcidos colados no vidro fosco da porta para vê-la ir embora.

Houve uma pausa.

Então veio uma enorme erupção de risos quando ela começou a atravessar o corredor. A Srta. Ana gritou para eles:

— SILÊNCIO!

Com todo mundo ainda em horário de aula, a escola passava uma estranha sensação de tranquilidade. Zoe ouvia apenas seus próprios passinhos ecoando pelo corredor e as batidas frouxas da sola solta de seu sapato. Por um instante o drama de toda aquela situação lhe pareceu extremamente distante, como se tudo tivesse acontecido com outra pessoa. A escola nunca lhe parecera tão vazia; era como se Zoe estivesse em um sonho.

Mas, se aquela era a calmaria antes da tempestade, não durou muito. O sinal do recreio tocou, e, como a explosão de uma represa, as portas das salas se abriram para o comprido corredor, e massas de alunos jorraram para fora. Zoe apressou o passo. Sabia que a notícia do rato passeando em sua cabeça ia se espalhar como a própria Peste. Ela precisava ir embora dali, e rápido...

13

Hambúrgueres do Burt

Logo Zoe estava correndo, mas suas perninhas curtas não eram páreo para as crianças mais velhas e mais altas, que logo a ultrapassavam para serem os primeiros na fila do trailer de hambúrgueres e encherem a pança no recreio.

Ela protegeu Armitage com a mão. Já tinha sido derrubada no chão do corredor da escola muitas vezes. Finalmente conseguiu sair para a relativa segurança do pátio. Manteve a cabeça abaixada, torcendo para não ser reconhecida.

Mas do pátio só havia uma saída para a rua. Todo dia o mesmo trailer vagabundo parava ali fora. "Hambúrgueres do Burt", anunciavam as palavras pintadas na lateral. Apesar de a comida que se vendia ali ser terrível, a da escola era ainda pior, então a maioria das crianças escolhia o menor dos males e fazia fila diante do trailer.

Burt era tão repulsivo quanto os hambúrgueres que servia. O "chef" autodidata estava sempre com a mesma camisa listrada imunda e uma calça jeans coberta de manchas de gordura, que ele usava com o cós bem embaixo da barriga gigante. Por cima de tudo ia um avental sujo de sangue. As mãos do sujeito viviam imundas, e sua cabeleira era coberta de caspa do tamanho de grãos de arroz. Até sua caspa tinha caspa. Sempre que ele se debruçava para fritar os hambúrgueres, os flocos brancos caíam na grelha, fazendo-a chiar e borbulhar. Burt fungava o tempo todo, como um porco com o focinho

enfiado na lama. Ninguém nunca tinha visto seus olhos, pois ele sempre usava grandes óculos escuros completamente negros. Sua dentadura chacoalhava dentro da boca sempre que ele falava, fazendo-o assoviar involuntariamente. Dizia a lenda que uma vez sua dentadura tinha caído dentro de um pão.

Burt não tinha um cardápio muito variado:

HAMBÚRGUER NO PÃO: £ 0,79
HAMBÚRGUER PURO: £ 0,49
PÃO PURO: £ 0,39

Obviamente, ele não aparecia em nenhum roteiro gastronômico da cidade. A comida só era minimamente comível se você estivesse morrendo de fome. Ele cobrava cinco centavos para botar ketchup, apesar de aquilo nem ter muito gosto de ketchup: era um líquido marrom com pontinhos pretos não identificados. Se você reclamasse, Burt dava de ombros e resmungava:

— É a minha receita especial, meus queridos.

Para horror de Zoe, Tina Trotts já estava lá, bem no início da fila. Mesmo se ela não tivesse matado a última aula, com certeza intimidaria todo mundo para furar a fila.

Ao vê-la, Zoe baixou ainda mais a cabeça. Agora ela só via a calçada. Mas ainda assim não foi o suficiente para não a reconhecerem.

— MENINA-RATO! — gritou Tina.

Zoe levantou a cabeça para ver a fila comprida de crianças olhando para ela. Alguns de seus colegas de turma também tinham entrado na fila agora, e todos começaram a apontar para ela e gargalhar.

Logo parecia que toda a escola estava rindo dela.

— HA HA HA HA HA HA HA HA HA HA HA HA HA HA HA HA HA HA HA HA HA HA HA HA HA!! !!!

Risos nunca soaram tão frios. Zoe ergueu a cabeça de novo. Centenas de olhinhos a encaravam, mas ela foi atraída mesmo pelo rosto de Burt, aquela figura curvada dentro do trailer. Ele estava fungando, e uma boa quantidade de saliva escorreu de sua boca para dentro do pão de Tina...

Zoe não podia ir para casa.

Sheila estaria no apartamento assistindo aos programas matinais da tevê, fumando e se empanturrando de batatinhas de camarão. Se Zoe lhe contasse o motivo da suspensão, certamente teria que dizer adeus a Armitage. O mais provável era que Sheila o exterminasse imediatamente. Com seu pezão gordo. Zoe teria que raspar seus restos mortais da sola das pantufas da madrasta.

Ela considerou suas opções:

1) Fugir com Armitage para assaltar bancos como Bonnie e Clyde e viver uma vida de glória.

2) Fazer uma cirurgia plástica e se mudar para a América do Sul, onde ninguém iria reconhecê-los.

3) Contar ao pai e à madrasta que aquela era a semana "Adote um roedor" na escola e que, portanto, não havia com que se preocuparem.

4) Dizer que Armitage não era um rato de verdade, mas um autômato que ela construíra na aula de ciências.

5) Dizer que estava treinando Armitage para alguma missão altamente secreta de espionagem para o serviço de inteligência britânico.

6) Botar um chapéu branco no ratinho, pintar seu corpinho de azul e fingir que ele era um boneco do Smurf.

7) Fazer dois balões de ar quente com o sutiã gigantesco da madrasta, um grande e um pequeno, e viajar para outro país.

8) Roubar um carrinho elétrico e fugir para um lugar seguro.

9) Inventar e construir uma máquina de desmaterialização e ser teleportada com Armitage para um lugar seguro.*

10) Ir à banca de Raj e descolar umas balas...

Não surpreende que Zoe tenha escolhido a última opção.

— Ah, Srta. Zoe! — exclamou Raj quando ela entrou na banca. — Você não devia estar na escola?

— É, devia — murmurou ela, cabisbaixa.

Zoe sentia que estava prestes a cair no choro.

Raj saiu correndo de trás do balcão e abraçou a pequena menina ruiva.

— O que aconteceu? — perguntou, apoiando a cabeça dela em sua grande e confortável barriga.

Fazia muito tempo que Zoe não era abraçada. Mas infelizmente o aparelho dela se prendeu no casaco de lã dele e os dois ficaram grudados.

— Ah, querida. Deixe só eu me soltar.

Com muito cuidado, ele libertou o casaco.

— Desculpe, Raj.

---

* Essa opção talvez fosse um pouquinho complicada demais.

— Não tem problema, Srta. Zoe. Agora me diga: o que aconteceu afinal?

Zoe respirou fundo e então contou:

— Fui suspensa.

— O quê?! Você é uma criança tão bem-comportada. Não acredito!

— É verdade.

— E qual foi a razão?

Zoe achou que talvez fosse mais fácil mostrar a ele, então meteu a mão no bolso e pegou seu rato.

— Aaaaaaaarrrrrrrrrrrrrrrrggggggggghhhhhhh!! — gritou Raj.

Ele correu e subiu no balcão. E ficou um bom tempo lá em cima gritando:

— Aaaaaaaaarrrrrrrrrrrrggggg gggggghhhhhhhhhh!! Aaaaa aaarrrrrrrrrrrrrggggggggggh hhhhhh!! Eu não gosto de camundongos, Srta. Zoe. Por favor, por favor, por favor, Srta. Zoe. Por favor. Eu imploro. Leve ele embora.

— Não se preocupe, Raj, não é um camundongo.

— Não?

— Não, é um rato.

Nisso os olhos de Raj se arregalaram e ele soltou um grito ensurdecedor:

— AAAAAAAAAAAAAAAAA AAAAAAAAAAAAAAAAAA AAAAAARRRRRRRRRRRRRR RRRRRRRRRRRRRRRR RRRRRRRGGGGGGGGGGGGGG GGGGGGGGGGHHHHH HHHHHHHHHHHHHHHHHHHHHHH HHHHHHHHHHHH!!!!!!!!!!!!

14

Uma meleca no teto

— Não, não, por favor — suplicou o jornaleiro. — Não gosto disso! Não gosto disso!

Uma senhora de idade entrou na banca e olhou surpresa para o jornaleiro empoleirado em cima do balcão. Raj estava puxando para cima a barra da calça, e os poucos fios de cabelo que lhe restavam estavam arrepiados. Aterrorizado, ele pisava em todos os jornais com seus grandes e atrapalhados pés.

— Ah, olá, Sra. Bennett — disse ele, com a voz trêmula. — Seu exemplar de *O Tricô Moderno* está na prateleira, pode me pagar depois.

— Mas o que é que o senhor está fazendo aí em cima? — indagou, com muita sensatez, a velha senhora.

Raj olhou para Zoe. Muito discretamente, ela levou o indicador aos lábios, implorando que ele ficasse quieto.

Não queria que todo mundo soubesse que ela tinha um rato, ou logo a notícia ia se espalhar e chegar ao seu prédio e aos ouvidos de sua madrasta horrorosa. Mas, infelizmente, Raj não sabia mentir muito bem.

— Hã, hum, bem...

— Eu acabei de comprar um pacotinho de Spacedust — disse Zoe. — Sabe? Aquela balinha que estala na boca? Mas o deixei no sol por muito tempo e acabou ficando altamente explosivo, e, quando abri o pacotinho, ele se espalhou pela loja toda.

— Isso mesmo, Srta. Zoe — concordou Raj. — Um incidente muito lamentável, porque faz apenas sete anos que fiz uma faxina na minha banca. Agora estou tentando limpar essa bala do teto.

Raj se deparou com uma mancha no teto e a raspou.

— Spacedust por toda a loja, Sra. Bennett. Por favor, me pague na semana que vem...

A senhorinha olhou para ele desconfiada e deu uma espiada no teto.

— Isso não é bala. É só uma meleca.

— Não, não, não, Sra. Bennett, é aí que a senhora se engana. Veja...

Relutante, o jornaleiro raspou com a unha a meleca que muito tempo antes espirrara no teto e a jogou na boca.

— Pop! — acrescentou Raj de modo nada convincente. — Ah, eu adoro Spacedust!

A Sra. Bennett olhou para o homem como se ele estivesse completamente louco.

— Para mim, parecia mais uma grande meleca — murmurou antes de sair da banca.

Raj cuspiu a meleca jurássica imediatamente.

— Olhe, Raj, meu bichinho não vai machucar você — disse Zoe.

Ela o tirou com cuidado do bolso. Raj desceu do balcão e se aproximou bem devagar de seu pior pesadelo.

— É só um filhotinho — falou Zoe para encorajá-lo.

Logo Raj estava olhando nos olhos do roedor.

— Ahhh, bem, até que esse aí é mesmo bem bonitinho. Veja só esse focinho rosado — disse Raj, com um sorriso carinhoso. — Qual é o nome dele?

— Armitage — respondeu Zoe, confiante.

— De onde você tirou esse nome?

Envergonhada por ter batizado seu bichinho de estimação com uma marca de privada, Zoe disse apenas:

— Ah, é uma longa história. Vamos, faça um carinho nele.

— Não!

— Ele não vai machucar você!

— Se você garante...

— Garanto.

— Venha cá, pequeno Armitage — murmurou o jornaleiro.

O rato então se aproximou de Raj para receber o carinho daquele homem com cara de assustado.

—AAAAAAHHHHHHH! ELE ME ATACOU! — gritou Raj e saiu correndo agitando os braços...

Zoe saiu da banca e o viu lá longe, correndo pela rua tão rápido que ganharia de qualquer medalhista de ouro olímpico.

— VOLTE AQUI! — gritou ela.

Raj parou, virou-se e voltou relutantemente para a banca, passando no caminho por vários outros estabelecimentos. Quando, por fim, deu os últimos passos temerosos para junto de Zoe e seu ratinho de estimação, Zoe explicou:

— Ele só estava tentando dizer oi.

— Não, me desculpe, mas ele chegou perto demais.

— Não seja medroso, Raj.

— Eu sei, me desculpe. Na verdade, ele é uma graça.

Raj então respirou fundo e fez um carinho de leve na cabeça de Armitage.

— Está frio aqui fora. Vamos levá-lo para dentro.

— O que eu vou fazer com ele, Raj? Minha madrasta não vai me deixar ficar com ele em casa, ainda mais agora que fui suspensa da escola por causa desse rapazinho. Ela odiava meu hamster e nunca, nem em um milhão de anos, ia me deixar ter um rato.

Raj pensou um pouco. Para pensar melhor, jogou uma bala de menta extraforte na boca.

— Talvez você devesse soltá-lo — disse por fim o jornaleiro.

— Soltar? — repetiu Zoe, uma única lágrima brotando em seu olho.

— É. Ratos não foram feitos para serem bichinhos de estimação...

— Mas este aqui é tão fofinho...

— Pode ser, mas ele vai crescer. E não pode passar a vida inteira no bolso do seu casaco.

— Mas eu amo Armitage, Raj. De verdade.

— Não duvido disso, Srta. Zoe — disse Raj, mordendo a bala de menta extraforte. — Se você realmente o ama, deve soltá-lo.

15

Um caminhão gigantesco

Então chegou a hora do adeus. No fundo, Zoe sabia que não ficaria com Armitage por muito tempo. Havia centenas de razões, mas a mais importante era:

ELE ERA UM RATO.

Crianças não têm ratos como bichos de estimação. Têm gatos, cachorros, hamsters, gerbis, porquinhos-da-índia, camundongos, coelhos, tartarugas e jabutis, e as crianças riquinhas às vezes têm pôneis, mas nunca ratos. Ratos vivem nos esgotos, não nos quartos de menininhas.

Zoe saiu se arrastando da banca de Raj, muito infeliz. O jornaleiro podia às vezes vender para seus clientes uma barra de chocolate meio comida ou botar um bombom de caramelo um pouquinho chupado de volta na embalagem, mas todas as crianças sabiam que, quando precisavam de um conselho, ele era o melhor.

E isso significava que ela precisava dizer adeus a Armitage.

Por isso, Zoe pegou o caminho mais longo até seu prédio, que passava pelo parque. Achava que ali seria o lugar perfeito para soltar o pequeno Armitage. Ele poderia comer os farelos de pão que as pessoas davam aos patos ou beber da água do lago; poderia até, talvez, tomar um banho de vez em quando. E quem sabe não encontraria ali um esquilo com quem pudesse fazer amizade ou que pelo menos se cumprimentassem depois de um tempo?

Zoe o levou na mão à última parte do caminho. Como era o meio da tarde, o parque estava praticamente vazio, exceto por algumas velhinhas que seus cachorros tinham levado para passear. Armitage enrolou a cauda no polegar dela. Era quase como se ele sentisse que havia algo errado e por isso se agarrasse aos dedinhos de sua amiga o máximo que podia.

Andando o mais devagar possível, Zoe enfim chegou ao meio do parque. Parou a uma boa distância dos latidos esganiçados dos cães, dos grasnado dos cisnes e do mau humor do vigia. Lentamente, agachou-se e abriu a mão. Armitage nem se mexeu. Era como se não quisesse se separar de sua nova amiga. Aninhou-se na mão dela. Vê-lo fazer isso partiu o coração de Zoe.

A menina sacudiu um pouco a mão, mas isso só o fez se agarrar com mais força, usando a cauda e os dedinhos. Lutando para conter as lágrimas, ela o pegou com delicadeza pela parte de trás de seu pescoço e o pousou com cuidado na grama. Mais uma vez Armitage não se mexeu. Apenas a olhou com tristeza. Zoe se agachou e deu um beijo de leve em seu narizinho rosado.

— Adeus, rapazinho — murmurou ela. — Vou sentir saudade.

Uma lágrima escorreu de seu olho e caiu nos bigodes de Armitage. Ele capturou a gota com sua minúscula linguinha cor-de-rosa.

Armitage inclinou a cabeça para um lado, como se estivesse confuso, e isso só tornou as coisas ainda mais difíceis para Zoe.

Na verdade, a despedida estava insuportavelmente triste, ela simplesmente não aguentava mais. Respirou fundo, ficou de pé e prometeu a si mesma que não ia olhar para trás. Conseguiu cumprir a promessa por uns dez passos, mas não pôde evitar dar uma última olhadela no local onde o deixara. Para sua surpresa, o ratinho já havia desaparecido.

Deve ter corrido para a segurança das moitas, pensou ela, e olhou ao redor em busca de algum sinal de movimento, mas Armitage era bem pequeno e, além de uma leve brisa balançando a grama alta, nada mais se movia. Zoe se virou e seguiu relutantemente para casa.

Deixou o parque e atravessou a rua. Por um instante, ela se viu livre do ruído dos carros e, no silêncio, Zoe pensou ter ouvido um guincho baixinho. Quando se virou para trás, lá estava Armitage no meio da rua.

Ele a havia seguido o tempo todo.

— Armitage! — exclamou ela, animada.

O ratinho não queria ser livre, queria ficar com ela! Zoe ficou felicíssima. Estava imaginando todo tipo de tragédia desde o momento em que o deixara para trás: que ele seria engolido por um cisne malvado ou sairia pela rua e seria atropelado por um caminhão gigantesco.

Justo nesse instante, algo veio roncando alto na direção de Armitage, que ainda estava atravessando lentamente a rua para alcançar Zoe.

Era... um caminhão gigantesco.

Zoe ficou paralisada, vendo o caminhão acelerar e se aproximar cada vez mais de Armitage. O motorista jamais veria um filhote de rato no meio da rua, e Armitage seria esmagado e viraria apenas mais uma mancha no asfalto...

— NNNNNÃÃÃÃÃÃÃÃÕOO OOOOOOOOO!!!!!!! —gritou Zoe, mas

o caminhão não se deteve. Não havia nada que ela pudesse fazer.

Armitage olhou na direção do caminhão e, ao perceber que a situação não era nada boa, começou a correr em círculos no meio da rua. Estava completamente em pânico. Mas se Zoe corresse até ele seria esmagada também!

Era tarde demais. O caminhão passou roncando por cima dele. Zoe cobriu os olhos com as mãos.

VVVVVVVVVVVVVVVV
VVVVVVVVVVVVVVVVVVVV
VRRRRRRRRRRRRRRRRRrrrrr
RRRRRRRRRRRRRRRRRRRRRRR
RRRRRRRRRRRRRRRRRRRRRRR
UUUUUUUUUUUUUUUUUUUUU
UUUUUUUUUUUUUUUUUUUU
UUUUUUUUUUUUUUUUUUUU
UUUUUUUUUUUUUUUUUUUU
UUUUUUUUUUUUUUUUUUUU
MMMMMMMMMMMM
MMM!!!!!!!!!!!!!!!!!!!!!!!!!!!!!!!!!!

Só quando ouviu o barulho do caminhão se afastando é que ela teve coragem de voltar a abrir os olhos.

Procurou uma mancha na rua.

Mas não havia mancha nenhuma.

O que havia no lugar era... Armitage! Talvez um pouco abalado, mas vivo. Os pneus gigantes do caminhão deviam ter passado de raspão.

Zoe olhou para a direita, para a esquerda e para a direita de novo, conferindo se não vinha nenhum carro, e então correu até o meio da rua e o pegou.

— Nunca vou me separar de você — disse ela, segurando-o bem juntinho de si.

Armitage soltou um pequenino guincho carinhoso...

16

O pé de mirtilo

A natureza descobre maneiras de criar vida em todos os lugares. Em um beco fedorento que levava ao conjunto habitacional em que Zoe morava, em meio a sacos de biscoitos vazios e latas de cerveja, erguia-se um orgulhoso pé de mirtilo. Zoe amava mirtilos. Eram como balas grátis! E a menina tinha certeza de que Armitage também ia gostar. Pegou um grande para si e um pequeno para seu amiguinho.

Com cuidado, ela colocou o filhote de rato em cima de um muro. Sob o olhar atento de Armitage, Zoe botou o mirtilo na boca e começou a mastigar com entusiasmo, emitindo ruídos de aprovação. Então ela pegou a frutinha menor entre o polegar e o dedo médio e a ofereceu a ele. Armitage devia estar com fome, porque lentamente se levantou nas patas traseiras para receber o alimento.

Zoe ficou encantada. O rato pegou o mirtilo com as patinhas da frente e a comeu com voracidade. Ele sumiu em segundos. E logo Armitage olhou para Zoe, suplicando silenciosamente por mais. Ela pegou outro do pé e o levou até perto do focinho dele. Sem hesitar, ele se levantou sobre as patas traseiras de novo. Zoe balançou o mirtilo diante dele, que acompanhou os movimentos de pé. Era como se estivesse fazendo uma dancinha.

— Que talentoso que você é! — exclamou Zoe, dando-lhe a frutinha. Mais uma vez ele a devorou com avidez, e Zoe acariciou seu pescoço. — Bom menino!

Ela estava vibrando por dentro de tanta empolgação. Armitage podia ser treinado! Melhor ainda: parecia que ele *queria* ser treinado. Ele aprendera a se levantar muito mais rápido que Gergelim...

Rapidamente Zoe começou a colher todos os mirtilos do pé. Assim como tinha feito com o hamster, começou a ensinar alguns truques para Armitage. Entre eles:

O passo   O salto

O pulo em uma pata só

O aceno

A dança

Logo acabaram as frutinhas do pé, e o rato parecia empanturrado e cansado. Zoe viu que era hora de parar. Tomou-o depressa nos braços e deu um beijo em seu focinho.

— Você é fantástico, Armitage. E é assim que vou chamar você quando nos apresentarmos juntos no palco. O Fantástico Armitage!

E lá foi ela pelo beco, seu coração dançando no mesmo ritmo de seus pés saltitantes.

Apenas quando chegou ao seu prédio, a energia desapareceu de seus passos. Além de ter que contar à madrasta que havia sido suspensa, teria que inventar uma explicação para aquilo.

Seria mais um motivo para Sheila fazer da vida de Zoe um inferno ainda mais terrível. E o que era um milhão de vezes pior: uma razão para acabar com a vida do ratinho. Uma vida que acabara de começar.

Conforme Zoe se aproximava do edifício alto e inclinado, percebeu algo estranho. O trailer de hambúrgueres de Burt estava estacionado bem ali ao lado. Nos muitos anos desde a morte de sua mãe, ela nunca tinha visto o trailer dele ali antes. Ele *sempre* ficava em frente à escola.

O que será que Burt está fazendo aí?, perguntou-se Zoe.

Mesmo a distância, o cheiro de carne frita era de revirar o estômago. Por mais faminta que Zoe estivesse, ela nunca comprava hambúrgueres no trailer de Burt. Só o cheiro já quase a fazia vomitar. Sem contar o ketchup de qualidade muito duvidosa. Ao passar pelo trailer, ela percebeu como aquilo era bagunçado e nojento, tinha sujeira até na sujeira. Zoe passou o indicador pela bancada, e uma massa de gordura de uns dois centímetros de espessura saiu em sua mão.

Talvez Burt tenha se mudado para cá, pensou. Mas ela torcia para isso não ser verdade, porque ele era um cara muuuuuito assustador. Burt era o tipo de sujeito que fazia os piores pesadelos terem pesadelos.

Ela morava lá no alto, no trigésimo sétimo andar, mas o elevador sempre fedia. Era preciso subir prendendo a respiração, o que não era fácil de se fazer por trinta e sete andares. Então Zoe sempre subia de escada. Armitage estava confortavelmente acomodado no bolso do seu casaco, e ela sentia o peso de seu corpinho balançando contra seu coração a cada degrau. A respiração de Zoe foi ficando cada vez mais alta e ofegante à medida que ela subia. As escadas estavam cheias de lixo de todo tipo, de bitucas de cigarro a garrafas vazias, e também fediam, mas não tanto quanto o elevador — fora que, claro, ali não tinha como ficar preso.

Como sempre, quando Zoe chegou ao seu andar, estava completamente sem ar e arfando como um cachorro. Parou diante da porta de casa por um instante, uma pausa para recuperar o fôlego antes de enfiar a chave na fechadura. O diretor, o Sr. Al Bino, já devia ter telefonado para contar a seu pai que ela havia sido suspensa. Em segundos, Zoe tinha certeza de que liberaria toda a fúria de sua madrasta, uma fúria sem dúvida mais raivosa do que a de cães infernais.

Ela girou a chave sem fazer nenhum ruído e então empurrou com relutância a porta caindo aos pedaços.

Apesar de a madrasta raramente sair, a tevê estava desligada, e Zoe não ouviu ninguém em casa, por isso foi na ponta dos pés pelo corredor até seu quarto, tomando todo o cuidado para evitar as partes do chão de madeira que rangiam. Então girou a maçaneta, abriu a porta e entrou no quarto.

Havia um estranho ali dentro, parado de costas para ela, olhando pela janela.

— Aaaaaaahhhhhh!!!!!!! — gritou Zoe, levando o maior susto.

Então o homem se virou.

Era Burt.

17

Sinto cheiro de rato

— Sinto cheiro de rato! — exclamou Burt.

Só que não era Burt. Bem, *era* Burt, mas ele tinha desenhado um bigode bem fajuto no rosto com canetinha
preta.

— O que você está fazendo aqui? — perguntou Zoe.
— E por que está com um bigode desenhado na cara?

— É um bigode de verdade, querida — disse Burt.

Ele ofegava ao falar. E sua voz combinava com seu rosto: ambos saídos de um filme de terror.

— Não, não é. Você desenhou.

— Não desenhei nada.

— Desenhou, sim, Burt.

— Meu nome não é Burt, criança. Sou o irmão gêmeo do Burt.

— Então qual é o seu nome?

Burt parou um tempo para pensar.

— Burt.

— Sua mãe teve gêmeos e deu o mesmo nome aos dois?

— Éramos pobres. Não tínhamos dinheiro para dar um nome para cada um.

— Saia agora mesmo do meu quarto, seu esquisitão!

Foi quando Zoe ouviu os passos pesados da madrasta pelo corredor.

— Não ouse falar com o simpático exterminador de pragas desse jeito! — berrou Sheila, entrando bamboleante no quarto.

— Ele não é exterminador de pragas. Ele vende hambúrgueres! — protestou Zoe.

Burt ficou entre as duas com um meio sorriso no rosto. Era impossível ver para onde ele estava olhando porque seus óculos escuros eram gigantes e tão negros quanto o petróleo mais preto e mais escuro.

— Do que é que você está falando, menina idiota? Ele mata ratos — gritou a madrasta. — Não é?

Burt assentiu e sorriu, exibindo a dentadura que não encaixava direito.

A menininha agarrou a madrasta pelo antebraço gordo e tatuado e a puxou até a janela.

— Ali, veja o trailer dele! Vamos, me diga o que está escrito nele.

Sheila olhou pela janela suja para os veículos estacionados lá embaixo.

— "Burt, exterminador de pragas" — leu a mulher.

— O quê? — exclamou Zoe.

Ela limpou um pouco da sujeira da janela e olhou para fora. A mulher tinha razão. Estava escrito aquilo na lateral do veículo. Como era possível? Parecia o mesmo trailer. Ela olhou para Burt. Seu sorriso estava mais largo. Diante dos olhos de Zoe, ele pegou um saquinho de papel sujo do bolso e tirou uma coisa de dentro dele. Zoe podia jurar que aquilo que ele tinha botado na boca estava se mexendo. Será que era uma barata? Seria aquela a ideia que aquele homem depravado fazia de um petisco?!

— Viu? — disse Burt. — Sou um caçador de ratos.

— Não importa — disse Zoe, virando-se para a madrasta. — Mesmo que ele seja isso mesmo, o que não é, já que vende hambúrgueres, por que ele está no meu *quarto*?

— Ele está aqui porque soube que você levou um rato para a escola — respondeu Sheila.

— É mentira! — mentiu Zoe.

— Então por que será que hoje eu recebi um telefonema do seu diretor? Hein? HEIN? RESPONDA! Ele me contou tudo. Sua garotinha nojenta.

— Eu não quero nenhum problema, querida — disse Burt. — Apenas me entregue o bicho.

Ele estendeu sua mão muito pegajosa. Aos pés de Burt estava uma gaiola imunda que mais parecia a cesta de uma fritadeira. Só que, em vez de usá-la para fritar batatas, ele tinha enfiado centenas e mais centenas de ratos ali dentro.

A primeira impressão de Zoe foi a de que os ratos estavam todos mortos, de tão imóveis. Ao olhar com mais atenção, porém, percebeu que estavam vivos, só que de tão apertados mal conseguiam se mexer. Muitos pareciam mal conseguir respirar também, de tão imprensados. Era revoltante. Ao ver aquilo, Zoe teve vontade de chorar diante de tamanha crueldade.

Nesse momento, Zoe sentiu Armitage se remexendo no bolso do casaco. Talvez conseguisse sentir o cheiro de seu medo. Ela discretamente levou as mãos ao peito para esconder os movimentos. Várias ideias de mentiras passavam por sua cabeça.

— Eu o soltei — disse ela. — O diretor falou a verdade, eu levei um rato para a escola, mas depois o soltei no parque. Pergunte só ao Raj... foi ele quem me disse para fazer isso. Você devia ir procurar o rato no parque — acrescentou, repentinamente botando a mão em concha sobre o bolso de Armitage, pois o pequeno roedor agora estava se mexendo loucamente.

Houve uma pausa mortal. Então Burt sorriu com desdém.

— Você está mentindo, querida.

— Não estou nada! — replicou Zoe, um pouco depressa demais.

— Não minta para o moço simpático! — exclamou Sheila, irritada. — Não podemos ter outra criatura repulsiva e cheia de doenças andando pelo apartamento inteiro.

— Não é mentira — protestou Zoe.

— Posso sentir o cheiro dele — disse o homem malvado, seu nariz malvado se remexendo. — Posso sentir cheiro de rato a quilômetros de distância.

Burt fungou e disse, com sua voz ofegante:

— Os filhotes de ratos têm um cheiro especialmente adocicado...

Ele lambeu os beiços, e Zoe sentiu um calafrio.

— Não tem nenhum rato aqui — disse ela.

— Vamos, me dê o bicho — disse Burt. — Eu acerto ele bem rápido com esse atordoador de roedores de última geração. — Ele então tirou um martelinho ensanguentado do bolso de trás da calça. — Na verdade, é indolor, eles não sentem nada. Depois ele pode se juntar aos amigos para brincar um pouco aqui.

Burt indicou a gaiola, dando um chute forte com sua bota imunda.

Zoe estava horrorizada, mas conseguiu se recompor antes de falar:

— Infelizmente, você está totalmente errado. Não tem nenhum rato aqui. Se ele voltar, claro que vamos chamar você na hora. Obrigada.

— Me dê o bicho. Agora! — rosnou o homem sinistro.

Enquanto isso, Sheila observava com atenção a odiada enteada. Foi quando ela percebeu a posição esquisita de sua mão esquerda.

— Sua peste imunda! — acusou a mulher, puxando a mão de Zoe. — O rato está no casaco dela.

— Madame, segure a menina — disse Burt. — Posso bater no rato dentro do casaco mesmo. Assim não suja o carpete.

— Nnnnnnãããããããããoooooooooo!
— gritou Zoe.

137

Ela tentou se soltar, mas Sheila era muito maior e mais forte. Zoe perdeu o equilíbrio e caiu no chão. Armitage escapuliu depressa do seu bolso e saiu correndo.

— Aaaaaaaaaaaaaaaaaaaaaaaaaa hhhhhhhhhhhhhhhhhhhhhhhhhhh hhh!!!!!!!!!!!!!!!!!! — gritou Sheila. —Leve essa coisa para longe daqui!

— Confie em mim, ele não vai sentir nada — afirmou Burt.

Ele se abaixou e brandiu o martelinho ensanguentado. Seu nariz se remexia enquanto ele perseguia o rato pelo quarto, batendo com a ferramenta no chão e errando Armitage por milímetros.

— Pare! — gritou Zoe. — Você vai matá-lo!

Ela tentou atacar o homem, mas a madrasta a segurou pelos braços.

— Venha cá, belezinha! — murmurou Burt, batendo repetidamente no carpete empoeirado, levantando nuvens de pó e sujeira a cada golpe.

Armitage corria de um lado para o outro, tentando fugir desesperadamente das marteladas. Mas, quando Burt tentou de novo, acertou a ponta do rabo do bichinho.

— Squiiiiiiiiiiiiiiiiiiicccccc! — guinchou o rato de dor e saiu correndo para se esconder embaixo da cama.

Mas isso não deteve Burt, que, sem tirar os óculos escuros, deitou de barriga no chão e rastejou para debaixo da cama como uma cobra, golpeando loucamente com o martelinho de um lado para o outro.

Zoe conseguiu se soltar das mãos da madrasta e se jogou nas costas do homem assim que ele surgiu de debaixo da cama. Ela nunca tinha batido em ninguém antes, mas agora havia montado nas costas dele como um peão em um touro de rodeio americano, socando os ombros dele com toda a força.

Em segundos a madrasta a puxou pelo cabelo e a imprensou contra a parede, e Burt tornou a sumir debaixo da cama.

— Zoe, não! Você é um bicho, sabia? Um bicho! — gritava a mulher.

Zoe nunca a tinha visto com tanta raiva.

As marteladas soavam abafadas no carpete debaixo da cama. Lágrimas escorriam pelo rosto da menina. Ela não podia acreditar que seu amado amiguinho teria um fim tão violento.

POW!

E de repente o silêncio se fez. Burt saiu se contorcendo de debaixo da cama e sentou-se, exausto, no chão. Em uma das mãos ele segurava o martelinho ensanguentado. Na outra, trazia um Armitage sem vida pendurado pelo rabo. Então anunciou, triunfante:

— PEGUEI ELE!

18

Pulverização

— Quer batatinha de camarão? — ofereceu Sheila ao homem.

— Hum, se não for incômodo — respondeu Burt.

— Uma só.

— Desculpe.

— Então, hã... o que acontece com todos esses ratos? — continuou Sheila com sua voz mais educada enquanto conduzia Burt até a porta.

Zoe ficou sentada na cama, chorando. Sua madrasta ficara tão horrorizada com o comportamento da menina que a havia trancado no quarto. Por mais que Zoe sacudisse a maçaneta e batesse na porta, ela continuava imóvel. Zoe estava completamente arrasada. Não havia mais nada a fazer além de chorar. Ela ouviu a madrasta se despedir do homem repulsivo.

— Bem, eu digo às crianças... — retrucou Burt, em um tom que deveria ser reconfortante mas que, na verdade, era perturbador — ... que eles vão todos para um hotel especial para ratos.

Sheila riu.

— E elas acreditam?

— Claro, as bobas acham que eles vão se divertir ao sol, relaxar num spa, receber massagens, fazer tratamentos faciais e coisas do tipo!

— Mas na verdade...? — murmurou Sheila.

— Eu pulverizo todos eles! Com minha máquina especial de pulverização!

Sheila soltou uma risada gorgolejante.

— Eles sofrem?

— Muito!

— Ha, Ha, ha! Legal. Você pisa neles?

— Não.

— Ah, se fosse eu, pisava e pulverizava todos eles. Aí eles iam sofrer duas vezes mais.

— Preciso experimentar isso, Sra...?

— Ah, me chame de Sheila. Quer mais uma batatinha?

— Ah, claro, muito obrigado.

— Uma só.

— Sinto muito. É um sabor tão bom — encantou-se Burt.

— Exatamente igual a camarão, não sei como eles fazem isso.

— Madame, se não for muita ousadia minha dizer isto, a senhora é uma mulher extremamente bonita. Eu adoraria levar você para jantar esta noite.

— Ah, seu safadinho! — A madrasta de Zoe estava dando muito mole para ele.

— Aí posso deliciar você com um dos meus hambúrgueres mais que especiais.

— Aaaah, sim, por favor! — disse a mulher horrorosa com mais um detestável risinho de garotinha. Zoe não podia crer que sua madrasta estava mesmo paquerando tão abertamente aquele indivíduo tão repugnante.

— Só eu, você e todos os hambúrgueres que a gente aguentar — disse o galante Burt.

— Que romântico... — murmurou Sheila.

— Até mais tarde, princesa...

Zoe ouviu a porta se fechar e a madrasta vir esbravejando pelo corredor até o quarto e destrancar a porta.

— Você está muito encrencada, mocinha!

Sheila devia ter dado um beijo de despedida em Burt, porque agora ela tinha uma mancha de canetinha preta no buço.

— Não me importo. Tudo o que me importa é o Armitage. Eu preciso salvá-lo.

— Quem é Armitage?!

— É o rato.

— Por que você daria um nome desses para um rato? — perguntou a mulher, incrédula.

— É uma longa história.

— Mas que nome idiota para um rato.

— Que nome você daria?

Sheila pensou por um bom tempo.

— E então? — insistiu Zoe.

— Estou pensando.

Seguiu-se um longo silêncio, durante o qual Sheila parecia estar fazendo um grande esforço de concentração. Finalmente, ela disse:

— Ratão!

— Muito original — murmurou Zoe.

Isso deixou sua madrasta ainda mais furiosa.

— Você é diabólica. Sabia disso, mocinha? Diabólica! Tô pensando muito seriamente em expulsar você de casa! Como pôde agredir um homem tão simpático?

— Simpático?! Ele é um assassino de ratos!

— Não, não, não. Todos eles vão para um santuário especial para ratos, um lugar com sauna e que parece até um spa...

— Você acha que eu sou imbecil? Ele mata os ratos.

— Mas não pisa neles. Os bichos são só pulverizados. O que é uma pena, na verdade.

— É monstruoso, isso sim!

— E daí? Um rato a menos no mundo.

— Não. Eu preciso salvar o meu pequeno Armitage. Tenho que...

Zoe se levantou e se dirigiu à porta, mas Sheila a segurou com força na cama, esmagando-a sob seu considerável peso.

— Você não vai a lugar nenhum. Você está de castigu, ouviu bem? C-A-S-T-I-G-U! Castigu!

— Castigo é com "O", e não com "U".

— Não é, não! — Sheila agora estava com muita raiva. — Você só sai desse quarto quando eu mandar. Vai ficar aí sentada e pensar no que fez. E vai apodrecer aí!

— Espere só até meu pai chegar em casa!

— O que aquele idiota inútil vai fazer?

Os olhos de Zoe se inflamaram. Seu pai podia estar passando por tempos difíceis, mas ainda era seu pai.

— Não ouse falar dele assim!

— Ele só serve para me dar o dinheiro do seguro-desemprego e garantir que eu tenha um teto sobre a minha cabeça.

— Vou contar a ele que você disse isso.

— Ele já sabe. Eu digo a ele todo dia — desdenhou aquela mulher repulsiva, com uma risada gutural.

— Ele me ama. Não vai deixar que você me trate desse jeito!

— Se ele ama tanto você, por que passa o tempo todo enchendo a cara?

Zoe ficou em silêncio. Não tinha resposta para aquilo. As palavras partiram seu coração em um milhão de pedacinhos.

— Há! — exclamou a mulher.

E, com isso, Sheila saiu e bateu a porta, trancando-a com a chave.

Zoe correu até a janela para olhar a rua lá embaixo. Dali a menina tinha uma ótima visão, pois estava a trinta e sete andares de altura naquele prédio torto. Ela viu Burt ir embora em seu trailer. Ele não era um bom motorista: saiu arrancando o retrovisor de vários carros e quase atropelou uma velhinha antes de sumir de vista.

O céu escurecia, mas os milhares de lâmpadas nas ruas iluminavam tudo, banhando o quarto com um brilho laranja feio que era impossível desligar.

Tarde da noite, seu pai finalmente chegou do bar. Ele e Sheila discutiram aos gritos e bateram portas, como sempre. Ele não foi até o quarto da filha. Provavelmente caiu no sono no sofá antes de conseguir chegar lá.

A noite passou sem que Zoe conseguisse pregar o olho. Sua cabeça girava; seu coração doía. De manhã ela ouviu o pai sair, provavelmente para esperar o bar abrir, e a madrasta ligar a tevê. Zoe bateu na porta até cansar, mas a madrasta não a deixou sair.

Sou uma prisioneira, pensou. Ela se deitou na cama. Estava desesperada, com sede, com fome e precisando muito fazer xixi.

Bom, o que os prisioneiros fazem?, perguntou-se a menina. *Eles tentam fugir...!*

19

A grande fuga

Armitage estava correndo um perigo terrível. Zoe precisava salvá-lo. E depressa.

Ela se lembrou de que Burt estacionava seu trailer nojento na frente da escola todos os dias, então, se conseguisse escapar do quarto, poderia segui-lo. Assim descobriria onde ele prendia os ratos antes de "pulverizá--los".

Zoe pensou em todas as diferentes maneiras que poderia usar para fugir:

1) Amarrar vários lençóis juntos e tentar descer pela janela. Mas, como morava no trigésimo sétimo andar, talvez a quantidade de lençóis que tinha à mão não fosse suficiente para levá-la muito além do vigésimo quarto. Risco de morte: alto.

2) Sempre havia a opção do homem-pássaro. Construir uma espécie de asa-delta com cabides e calcinhas e voar para a liberdade. Risco de morte: alto; mais importante: Zoe não tinha tantas calcinhas assim.

3) Cavar um túnel. Esse sempre fora um dos métodos de fuga preferidos dos prisioneiros de guerra. Risco de morte: baixo.

O problema com a opção três era que logo abaixo do quarto de Zoe havia o apartamento de uma velha muito reclamona, que, apesar de ter os cachorros mais escandalosos do universo, sempre criava o maior caso por causa do barulho no andar de cima. Ela entregaria Zoe para sua madrasta na hora.

Eu poderia abrir um túnel na parede!, pensou.

Ela tirou um pôster da última boy band do momento e bateu de leve na parede com as unhas. Ouviu ecos no cômodo ao lado, o que significava que a parede era fina. Ao longo dos anos, Zoe tinha ouvido muita gritaria no apartamento vizinho, mas eram sons abafados demais para deduzir que tipo de gente morava ali (uma menina e seus pais, imaginava Zoe, mas talvez houvesse mais gente). Quem quer que fosse, porém, parecia ter uma vida tão infeliz quanto a dela, se não pior.

O plano em si era simples. O pôster podia ser recolocado no lugar a qualquer momento para esconder o que estava acontecendo. Zoe agora só precisava de alguma ferramenta para abrir um buraco na parede. Algo de metal e afiado. *Uma chave!*, pensou e correu animada para a porta, só para se lembrar de que a chave estava do outro lado. Era justamente por isso que ela precisava fugir.

Dã!, exclamou para si mesma.

A menina vasculhou suas coisas, mas sua régua, seu pente, sua caneta e seus cabides eram todos de plástico. E qualquer coisa de plástico quebraria na hora se fosse usada para escavar uma parede.

Zoe se viu no espelho e percebeu que a resposta estava ali bem na sua cara, olhando para ela: seu aparelho. Aquela tralha finalmente ia servir para alguma coisa.* Arrancou-o da boca e correu para a parede. Sem parar nem para limpar a saliva, começou a raspar a parede. Não era de espantar que o aparelho machucasse e irritasse suas gengivas e ficasse preso no casaco de Raj: que metal afiado! Logo havia pedaços do gesso da parede

---

* Além de alinhar os dentes, é claro. (Tenho que escrever isto, senão algum dentista pode reclamar, apesar de esses sujeitos não passarem de torturadores a sangue-frio.)

cobrindo o chão. E logo Zoe tinha atravessado o gesso e chegado aos tijolos. E logo o aparelho estava imundo de tinta, gesso e poeira.

Mas de repente Zoe ouviu a chave girar na fechadura. Deu um pulo e botou o pôster de volta no lugar. Lembrou-se de recolocar o aparelho na boca bem a tempo, embora não tenha conseguido limpá-lo antes.

Sheila olhou desconfiada para a enteada. Parecia saber que Zoe estava aprontando alguma, mas não sabia o quê. Ainda.

— Quer comer alguma coisa? Acho melhor eu alimentar você — disse a mulher malvada. — Se você morrer de fome, o serviço social vai encher o meu saco.

Os olhinhos minúsculos de Sheila examinaram o quarto. Sem dúvida havia algo diferente. Ela só não conseguia dizer o quê.

Zoe balançou a cabeça. Não ousou falar com a boca cheia de pó de gesso. Na verdade, estava faminta, mas tinha que prosseguir com seu plano de fuga, não queria mais ser interrompida.

— Não precisa ir ao banheiro?

Zoe percebeu o olhar de Sheila examinando o quarto. Tornou a balançar a cabeça. Estava prestes a engasgar com o pó. Na verdade, sua bexiga estava tão cheia que ela tinha que ficar cruzando as pernas, mas, se fosse ao banheiro, Sheila faria uma busca no quarto e poderia encontrar o início do túnel.

— Você está usando o aparelho?

A menina assentiu vigorosamente e tentou sorrir de boca fechada.

— Quero ver, me mostre.

Zoe abriu a boca bem devagar, só um pouquinho, mostrando uma pontinha de metal.

— Não consigo ver. Abra mais! — mandou a mulher.

Com relutância, a garota abriu a boca, exibindo o aparelho coberto de pó. Sheila se aproximou para ver melhor.

— Você precisa limpar esses dentes, estão um nojo. Sua criatura imunda.

Zoe fechou a boca e assentiu. Sheila olhou para a enteada uma última vez e balançou a cabeça, enojada, depois se virou para ir embora.

A menina sorriu. Tinha conseguido se safar. Por enquanto.

Esperou até ouvir a chave girar na fechadura e então voltou para a parede. Seu pôster de boy band estava de cabeça para baixo! Ela rezou para que o garoto com o cabelo no rosto nunca descobrisse: era seu preferido e seu futuro marido. Ele só não sabia disso ainda.

E um detalhe um tantinho mais importante: graças a Deus a madrasta não tinha percebido o fato de o pôster não estava na posição certa. Zoe cuspiu o aparelho e limpou a língua mais seca que a areia do deserto na manga da blusa, depois voltou ao trabalho.

Passou a noite inteira raspando e raspando a parede até finalmente chegar ao outro lado. O aparelho agora estava um estrago só, e ela o deixou de lado. Estava tão animada por estar quase lá que terminou de escavar com os dedos. Raspando para aumentar o buraco o mais rápido que podia, agora arrancava pedaços de gesso com as mãos, que se esfarelavam em seus dedos.

Ela esfregou os olhos e espiou pelo buraco. Não tinha ideia do que haveria do outro lado. Olhando mais de perto, percebeu que podia ver um rosto.

Um rosto que ela conhecia.

Era Tina Trotts.

20

Cabo de guerra

Claro que Zoe sabia que a valentona morava no mesmo prédio do conjunto habitacional que ela. Sua gangue ocupava permanentemente o pátio. Pior: todo dia Tina cuspia na cabeça de Zoe do alto da escada, mas Zoe não tinha ideia de que aquela garota horrorosa morasse tão perto!

Então Zoe pensou em uma coisa que a deixou confusa: isso significava que era a família de Tina que discutia aos gritos e batia mais portas do que a sua. Era com Tina que o pai gritava. Era dela que Zoe sentia pena enquanto, deitada na cama, tentava dormir à noite.

Ela sacudiu a cabeça para se livrar daquela sensação nova e estranha de sentir *pena* de Tina Trotts. Então se lembrou de outra sensação — de cuspe na cara — e parou.

A manhã já ia alta. Zoe havia passado a noite inteira raspando a parede. Do outro lado do buraco estava a cara grande e feia de Tina, roncando. Estava deitada em sua cama, que, como o reflexo de um espelho, ficava exatamente no mesmo lugar que a de Zoe. O quarto dela estava quase vazio. Parecia mais uma cela de prisão que um quarto de menina.

Tina estava enrolada em seu edredom seboso. Para uma garota tão nova, ela roncava como uma britadeira, um som alto e grave. Seus lábios estremeciam a cada vez que ela expirava o ar.

O ronco dela era mais ou menos assim:

RRRRRROOooooooo oooOOOONNNNNNCCCCC!!! PPPPPPPPPPPPFFFFFFFFFFFI IIIIIIIIIIIIIIIIIIIIIIIIIIIIIIIIIIIIIIIIIIII IIIIIIIISSSSSSSSS! RRRRRRRRRR RROOOOONNNNNNCCCCCCCC!

Era dia de aula, e Tina já deveria estar na escola àquela hora, mas Zoe sabia que quase todo dia ela matava aula e que, nos dias em que não matava, entrava e saía das salas quando tinha vontade.

Agora Zoe estava cara a cara com sua pior inimiga. Mas não havia mais volta. Tudo no quarto de Zoe estava coberto por uma grossa camada de pó, resultado de suas escavações. Assim que sua madrasta abrisse a porta para ver como Zoe estava, tudo estaria acabado, e a menina nunca mais voltaria a ver Armitage...

Naquele instante, porém, o rosto grande e assustador de Tina estava bem do outro lado do buraco. Zoe observou os pelos especialmente grossos nas narinas da valentona enquanto pensava no que fazer.

De repente ela teve uma ideia. Se conseguisse pegar uma ponta do edredom de Tina, poderia puxá-lo com força pelo buraco, abrindo-o mais. Então, quando Tina rolasse para o chão, Zoe passaria pelo buraco, pularia por cima dela e sairia correndo do apartamento vizinho.

Naquele momento, ela percebeu que deveria alterar o risco de morte do plano de escavação para "alto".

No mesmo instante Zoe ouviu os passos da madrasta retumbando pelo corredor.

A menina tinha que agir, e rápido. Ela meteu a mão pelo buraco, respirou fundo, reuniu toda a força que conseguiu e puxou o edredom, sentindo o sebo que o cobria. Parecia nunca ter sido lavado. Ela puxou com tanta força que Tina saiu rolando no chão...

BUM
BUM
BUM!

Assim que Zoe ouviu Sheila abrir a porta de seu quarto, ela se meteu pelo buraco. Como não era um rato, Zoe não tinha bigodes e, apesar de ser uma garotinha bem baixinha, havia subestimado bastante seu tamanho. Quando já havia passado metade do corpo pelo buraco, ficou completa e absolutamente entalada. Tentou se retorcer, mas não conseguia se mover nem mais um centímetro. Tina, é claro, tinha acordado, e dizer que ela não parecia estar de bom humor era pouco. Estava com mais raiva do que um tubarão-branco que acabara de ser xingado de um palavrão horrível.

Ela se levantou devagar, olhou para Zoe e começou a puxar seus braços com força, com certeza tentando trazer o corpo inteiro da menina para seu quarto e lhe dar uma surra que ela nunca esqueceria.

— Vou pegar você, sua fedelha fracote — rosnou Tina.

— Ah, bom dia — disse Zoe, seu tom de voz implorando por uma reação não violenta àquela situação um tanto fora do comum.

Enquanto isso, sem dúvida ouvindo toda a confusão, Sheila tinha entrado correndo no quarto de Zoe e agora segurava as pernas da enteada, puxando com toda a força na direção oposta.

— Venha cá! Vai ver só quando eu botar minhas mãos em você! — gritou a mulher odiosa.

— Bom dia, madrasta — cumprimentou Zoe, olhando para trás. Mais uma vez o tom alegre em sua voz não serviu de nada para acalmar a mulher agarrada a seus tornozelos.

Logo Zoe começou a se mover para a frente e para trás dentro do buraco.

— Ai! — exclamava quando era puxada de um lado.

— Ui! — gritava quando era puxada do outro.

Em pouco tempo parecia um disco arranhado:

— Ai! Ui! Ai! Ui! Ai! Ui! Ai! Ui! Ai! Ui! Ai! Ui!

E lá ia ela para a frente, para trás. Para a frente. Para trás.

Não demorou muito para a parede começar a se desfazer em torno dela à medida que a puxavam de um lado para o outro.

Tina era forte, mas a madrasta de Zoe tinha o peso a seu favor. Era um cabo de guerra surpreendentemente equilibrado, e exatamente por isso parecia que não acabaria nunca. As duas puxavam com tanta força os membros de Zoe que ela percebeu algo positivo naquela situação enquanto gritava: independentemente de quem vencesse, ela com certeza ficaria um pouquinho mais alta no final.

Zoe se sentia como um elástico. E, como todo elástico, sabia que uma hora ia arrebentar. Pedaços maiores de gesso começaram a cair da parede em sua cabeça.

— AAAAAAAAAAAAAAAAAAAAAAAAAAAAAAAAAAAAAAAAAAIIIIIIIIIIIIIIIIIIIIIIIIIIIIIIIIIIIIIIIIIIIII!!!!!!!

— gritou Zoe.

Um grande estalo atravessou a parede.

CCCCCCCCCCCC
RRRRRRRRRRRRR
RRRRRRRRRRRRR
RRRRRRRRRRRRR
EEEEEEEEEEEEE
EEEEEEEEEEEEE
EEEEEEEEEEEEE
EEEEEEEEEEEEE
CCCCCCCCKKKK
KKKKKKKKKKKK!

De repente Zoe sentiu a parede inteira ceder. Logo ela desabou no chão em meio a uma nuvem de pó.

BBBBBB

BBBBBBBB
UUUUUUU
UUUUUUU
MMM!!!

BBBUUU
JUUUUU
JUMMM
!

O barulho foi ensurdecedor, e Zoe agora só via branco à sua frente. Era mais ou menos assim:

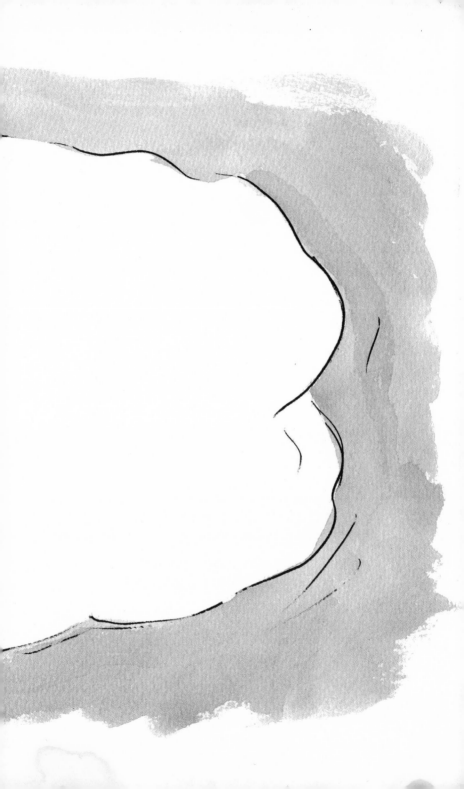

21

Bumbum queimado

Foi como se tivesse acabado de acontecer um terremoto, mas pelo menos agora seus braços e pernas estavam livres.

Em algum lugar em meio à nuvem de poeira no cômodo enorme formado pela fusão dos dois quartos vizinhos, Zoe ouviu Tina e a madrasta tossindo. Soube que tinha, então, uma fração de segundo para escapar. E saiu correndo. Sem conseguir ver nada, tateou com as mãos desesperadamente até encontrar uma maçaneta. Abriu a porta e saiu desembestada pelo corredor.

Completamente desorientada pela explosão de poeira, só então Zoe percebeu que estava correndo pelo corredor do apartamento de Tina. Que, aliás, era muito pior que o dela. Para começar, não havia nem mobília nem carpete, o papel de parede estava descascando e o cheiro de mofo dominava todo o ambiente. Era como se aquelas pessoas estivessem morando na própria casa como um sem-teto.

Mas aquele não era um bom momento para pensar em decoração, nem mesmo aquelas decorações-relâmpago dos programas de tevê. Após alguns instantes, Zoe encontrou a porta da frente. Seu coraçãozinho batia mais rápido do que nunca enquanto tentava desesperadamente abri-la. Suas mãos tremiam, e ela não conseguia girar a tranca.

Então, atrás dela, do meio da nuvem de poeira, surgiram duas enormes figuras monstruosas e fantasmagóricas, aproximando-se a passos pesados, inteiramente brancas, exceto pela boca, que não parava de gritar, e os olhos saltados, vermelhos e injetados de fúria. Era como uma cena saída de um filme de terror.

— AAAAAAAAAA AAAAAAAAAAAAAAA AAAHHH!!!!! — gritou Zoe.

Então ela se deu conta de que eram Tina e sua madrasta, cobertas da cabeça aos pés de poeira branca.

— AAAAAAAAAAA
HHH!!!!! — exclamou Zoe mais uma vez.

— VENHA CÁ! — gritou Sheila.

— EU VOU PEGAR VOCÊ! — berrou Tina.

As mãos da menina começaram a tremer ainda mais, mas ela conseguiu abrir a porta bem a tempo. Quando botou os pés lá fora, quatro mãos gorduchas cobertas de pó de gesso agarraram suas roupas e rasgaram seu casaco. Mas, sabe-se lá como, Zoe conseguiu se desvencilhar e bateu a porta atrás de si. Enquanto corria pelo corredor do prédio, percebeu que seria pega se descesse pelas escadas ou pelo elevador.

Então se lembrou de que havia andaimes do outro lado do prédio.

Achando que talvez houvesse algum jeito de descer por ali, a menina correu para lá. Abriu uma janela e, depois de subir nos andaimes, a fechou. Um vento perverso sacudia as tábuas finas sob seus pés. Ela olhou para baixo. Trinta e sete andares! Até os ônibus na rua pareciam pequenos, como se fossem de brinquedo. Zoe ficou tonta. Aquilo estava começando a lhe parecer uma péssima ideia.

Mas, atrás dela, as caras furiosas de Tina e Sheila estavam grudadas no vidro, as duas batendo na janela.

Sem pensar, Zoe saiu correndo pela parte externa do edifício enquanto sua madrasta e Tina brigavam para ver quem seria a primeira a sair atrás dela. No final da plataforma de madeira havia um enorme tubo de plástico que descia inclinado até lá embaixo, percorrendo todos os trinta e sete andares até dar em uma caçamba. Para Zoe, aquilo mais parecia um daqueles enormes tobogãs de piscina, embora na verdade sua função fosse levar todo entulho indesejado da reforma do prédio até o chão.

Era do tamanho certinho para uma menina como ela.

Zoe se virou: Tina e Sheila estavam poucos passos atrás dela. Respirou fundo e pulou dentro do tubo. Ficou cercada pelo plástico vermelho e deslizou mais rápido do que tinha imaginado, gritando sem parar enquanto descia e descia e descia. Será que não ia acabar nunca? Ela escorregava cada vez mais rápido conforme se aproximava do chão. Zoe nunca tinha descido em um tobogã e, por um instante, achou divertida a sensação de deslizar assim tão rápido. Mas como não havia água, seu bumbum ia ficando cada vez mais quente pela fricção com o plástico.

Então, de repente, o tubo chegou ao fim. Ela foi lançada lá de dentro e caiu no monte de entulho. Por sorte alguém havia jogado um colchão velho ali, que amorteceu sua queda. Seu bumbum queimado começou a esfriar, e Zoe olhou lá para cima.

Sua imensa madrasta estava presa na entrada do tubo, e Tina a forçava para baixo com toda a força, usando seu peso para empurrar o traseiro enorme da mulher. No entanto, por mais que ela empurrasse e empurrasse, o corpo de Sheila simplesmente não cabia ali. Zoe não pôde conter um sorriso. Ela estava a salvo, pelo menos por enquanto. Mas sabia que alguém que amava estava correndo um perigo terrível. Se não encontrasse Armitage logo, ele seria pulverizado!

22

Saliva de graça

Foi só quando viu o próprio reflexo na vitrine de uma loja que Zoe se deu conta de que, assim como Tina e Sheila, também estava coberta de poeira dos pés à cabeça. Isso explicava por que as pessoas que passavam a olhavam de um jeito engraçado e por que as crianças em carrinhos de bebê começavam a chorar quando a viam e eram empurradas por suas mães grávidas para longe dela.

Zoe limpou a camada de pó em seu pequeno relógio de plástico e viu que era quase hora do almoço. Burt devia estar em frente à escola com seu trailer, como sempre, fritando seus hambúrgueres repugnantes.

A poeira estava entalada em sua garganta, e Zoe estava desesperada por beber algo, então resolveu fazer um pit stop rápido.

— Aaaah! Srta. Zoe! — exclamou Raj. — Já é Halloween?

— Hã, não... — balbuciou Zoe. — Hoje é o dia de irmos sem uniforme à escola, podemos ir vestidos como quisermos.

Raj observou a pequena garota empoeirada.

— Desculpe perguntar, mas do que você está vestida?

— De Menina-Poeira.

— Menina-Poeira?

— É. Uma super-heroína.

— Nunca ouvi falar.

— Ela é muito famosa.

— Menina-Poeira, hein? E qual é o superpoder dela? — Raj estava realmente curioso.

— Ela é muito boa em tirar pó — respondeu Zoe, agora desesperada para que aquela conversa terminasse.

— Bem, vou procurar saber sobre essa heroína aí.

— É, acho que vão lançar um filme da Menina-Poeira no ano que vem.

— Com certeza vai ser um grande sucesso — comentou Raj, não parecendo muito convencido disso. — As pessoas adoram ver os outros tirando pó. Eu gosto, pelo menos.

— Raj, por favor, você tem alguma coisa que eu possa beber?

— Claro, Srta. Zoe. Para você, qualquer coisa. Tenho algumas garrafas d'água aqui.

— Água da torneira serve.

— Não, eu insisto, pegue uma garrafa no freezer.

— Está bem, obrigada.

— De nada — disse Raj com um sorriso.

Zoe foi até o freezer e pegou uma garrafa d'água pequena. Bebeu quase tudo, depois limpou o rosto com o que sobrou. Na mesma hora já se sentiu melhor.

— Obrigada, Raj, você é muito legal comigo.

— Você é uma menina muito especial, Srta. Zoe. E não só por ser ruiva. Podia, por favor, me dar a garrafa vazia?

Espalhando poeira por toda a banca, Zoe devolveu a garrafa. Raj a levou para os fundos, atrás das cortinas de plástico multicoloridas. Zoe ouviu uma torneira se abrir, e momentos depois ele reapareceu e devolveu a garrafa a ela.

— Se pudesse botá-la de volta no freezer, por favor — disse ele com um sorriso.

— Mas está coberta de poeira e eu babei o gargalo todo.

— A beleza do esquema, minha amiga, é que a saliva é de graça! — disse Raj todo prosa.

Zoe olhou para o jornaleiro e obedientemente devolveu a garrafa para o mesmo lugar de onde a pegara.

— Até logo, Raj.

— Tchau, hã... Menina-Poeira. E boa sorte!

Zoe saiu da banca. Nesse momento, ela se sentia só um pouquinho como uma verdadeira heroína, apesar de seu superpoder ser tirar pó. No entanto, como todo super-herói, ela estava lutando contra as forças do mal.

Deixando um rastro de poeira pela rua, Zoe seguiu o caminho até a escola e logo viu o trailer de Burt. Estava no mesmo lugar de sempre, na saída do pátio, e havia uma fila de crianças famintas na calçada. Ela se aproximou pela rua e viu que, na lateral do veículo, estava escrito BURT, EXTERMINADOR DE PRAGAS.

Curioso, pensou ela e se escondeu atrás da placa velha e meio apagada com o nome da escola para esperar até que o sinal anunciando o fim do recreio tocasse. Zoe não podia arriscar ser vista ali, já que estava suspensa. Poderia acabar sendo expulsa de vez.

PÉÉÉÉÉÉÉÉÉÉÉÉÉMMMM. O recreio acabou e Burt serviu seu último cliente, botando um jato de seu ketchup especialmente escuro no hambúrguer de aspecto nada apetitoso. Zoe atravessou a rua de fininho e se escondeu atrás do trailer, junto à calçada. Dali ela podia

ver escrito, na outra lateral do trailer: HAMBÚRGUE-
RES DO BURT.

— Isso é muito estranho — murmurou Zoe para si
mesma.

O trailer dizia HAMBÚRGUERES DO BURT de um
lado e BURT, EXTERMINADOR DE PRAGAS do outro.

Zoe encarou o veículo. Aquele homem assustador
estava usando o mesmo trailer para caçar ratos e fazer
hambúrgueres! Zoe não era nenhuma especialista no as-
sunto, mas tinha quase certeza de que a vigilância sani-
tária não ia aprovar muito aquela situação. Aquilo ren-
deria no mínimo uma séria advertência.

Burt deu partida no motor, e Zoe foi até a traseira,
abriu a porta em silêncio e pulou para dentro. Fechou
a porta o mais silenciosamente que pôde e se deitou no
chão frio de metal.

O carro acelerou e partiu.

Com Zoe escondida lá dentro.

23

A máquina de pulverização!

De onde estava, Zoe podia ver sacos enormes de hambúrgueres apodrecendo e vermes rastejando para fora deles. Ela tapou a boca, com medo de gritar ou vomitar — ou os dois.

O trailer zunia pela cidade. Ela o ouvia esbarrar em outros carros e escutava buzinas quando Burt avançava o sinal vermelho. Levantou a cabeça e por uma janelinha viu, horrorizada, o trailer deixar seu rastro de caos e de carnificina, sem falar de alguns retrovisores quebrados. Burt dirigia tão depressa e irresponsavelmente que ia acabar se matando e a Zoe por tabela.

O trailer ia tão depressa que, em pouquíssimo tempo, eles estavam fora do centro da cidade, em uma área industrial grande e deserta. Enormes galpões e armazéns vazios que pareciam prestes a cair enfeavam a paisagem, e logo o trailer parou em frente ao mais arruinado de todos. Zoe olhou pela janela salpicada de gordura. Aquele galpão parecia um hangar gigante de aviões.

A menina respirou fundo, e tudo ficou escuro quando o trailer entrou no galpão. Assim que Burt freou, Zoe saiu de onde estava e se escondeu embaixo do veículo. Tentando respirar sem fazer barulho, ela olhou ao redor, observando aquele espaço gigantesco. Havia gaiolas e mais gaiolas de ratos, empilhadas uma em cima da outra. Parecia haver milhares deles ali, esperando para serem pulverizados.

Ao lado das gaiolas havia um tanque cheio de baratas, com uma única palavra escrita: "Ketchup".

Ainda bem que eu nunca como os hambúrgueres do Burt, pensou Zoe. O que não impediu que ela ficasse muito enojada.

No meio do galpão havia uma escada de metal velha e imunda que levava até uma máquina enorme. *Deve ser a máquina de pulverização!*, pensou Zoe. Era velha e enferrujada, e parecia feita de pedaços de carros, freezers e micro-ondas velhos presos com fita adesiva.

Enquanto Zoe observava de debaixo do trailer, Burt se aproximou da máquina.

A parte principal da geringonça era um enorme funil de metal, com uma esteira posicionada embaixo. Havia um enorme rolo de madeira acima da esteira. Ao lado dele, estavam equilibrados braços de metal que pareciam ter vindo de processadores de alimentos. Na extremidade desses braços havia canos redondos, também de metal, que pareciam pedaços serrados de encanamentos velhos ou talvez até partes do escapamento de um caminhão.

Se o ruído do guincho dos ratos era ensurdecedor, não era nada comparado ao barulho daquela máquina.

Assim que Burt foi até lá e puxou a alavanca na lateral para ligá-la (que, na verdade, era um braço de manequim), o barulho metálico de um moedor abafou os guinchos dos bichinhos. A máquina toda chacoalhava como se estivesse prestes a explodir.

Zoe estava com os olhos grudados em Burt quando ele se arrastou pesadamente até uma gaiola de ratos, abaixou-se para pegá-la — devia haver centenas de ratos lá dentro (será que Armitage era um deles?) — e então se dirigiu à escada de metal andando com dificuldade por causa do peso. Ele subiu os degraus devagar mas com firmeza, um de cada vez. No alto, parou por um instante, quase se desequilibrou e então deu um sorriso nauseante. Zoe queria gritar para detê-lo, mas não ousava denunciar sua presença.

Burt levantou a gaiola acima da cabeça e despejou os ratos dentro da máquina!

Eles caíram rumo à morte certa. Um ratinho não muito maior que Armitage se agarrava à gaiola, desesperado. Com uma gargalhada apavorante, o maligno Burt arrancou do metal as garrinhas do rato, fazendo-o cair dentro da máquina. Houve, então, um som horrível de coisas sendo esmagadas. Ele os pulverizava mesmo! Pela parte de baixo da máquina começou a sair carne moída. A carne era amassada e achatada pelo rolo de madeira e depois os braços de metal batiam na esteira condutora, transformando a massa de carne moída em hambúrgueres. Dali, os hambúrgueres continuavam lentamente pela esteira, até cair em uma caixa de papelão repulsiva.

Agora Zoe ia mesmo vomitar.

Ela havia descoberto o terrível segredo de Burt.

Você consegue adivinhar qual era o grande segredo de Burt? Eu espero sinceramente que sim, afinal, no título deste livro há uma pista bem óbvia.

Sim. Ele estava fazendo hambúrgueres de rato!

Talvez, leitor, você mesmo já tenha comido uma dessas iguarias sem saber...

— Nãããããããããõooooooo! — gritou Zoe.

Foi mais forte do que ela. E assim acabou se entregando de forma desastrosa...

24

Hambúrguer de criança

— Ha, ha, ha! — fez Burt, sem rir.

Ele foi na direção de Zoe com o nariz se retorcendo no ar. Agora ela estava com medo de ter o mesmo fim que os ratos.

— Saia daí, garotinha! — gritou Burt. — Senti seu cheiro no trailer. Tenho um olfato extremamente apurado. Para ratos e também para crianças!

Zoe saiu de debaixo do trailer e correu para a porta do galpão, mas logo viu que estava trancada. Burt devia tê-la trancado logo depois de entrar. O homem cruel andou lentamente até ela. O fato de Burt não se dar ao trabalho de correr só o deixava ainda mais apavorante: ele sabia que não havia para onde Zoe fugir.

A menina olhou para as gaiolas de ratos. Devia haver milhares das pobres criaturas empilhadas ali. Como Zoe ia fazer para encontrar o pequeno Armitage entre todos eles? Ela teria que soltar *todos* os ratos. Só que, agora mesmo, o prodigioso exterminador de pestes vinha em sua direção, o nariz dele se retorcendo mais e mais febrilmente a cada passo.

Sem tirar os olhos de Burt, Zoe seguiu tateando ao longo da parede até chegar à enorme porta de correr. Chegando lá, começou a mexer no cadeado, desesperada para fugir.

— Fique longe de mim! — gritou ela, seus dedos mexendo ainda mais desesperadamente no cadeado na tentativa de abrir a porta.

— E se eu não fizer isso? — disse um ofegante Burt, aproximando-se cada vez mais. Ele agora estava tão perto que ela podia sentir o fedor que ele exalava.

— Vou contar para todo mundo o que você anda fazendo aqui. Transformando ratos em hambúrgueres!

— Não vai, não.

— Vou, sim.

— Não vai, não.

— Vou, sim.

— Então tá, você vai.

— Não vou, não!

— Ha! — exclamou Burt. — Peguei você! Eu sabia que você era encrenca desde aquele dia em que fui à sua casa.

Foi por isso que eu *deixei* você subir no trailer e vir até meu esconderijo.

— Você sabia que eu estava lá o tempo todo?

— Claro que sim, senti seu cheiro! E agora vou transformar você em hambúrguer. É isso o que acontece com crianças malvadas que metem o nariz onde não são chamadas.

— Nãããããooooo! — gritou Zoe, ainda tentando desesperadamente abrir o velho cadeado enferrujado. A chave estava enfiada nele, mas, de tão emperrada, simplesmente não girava, por mais que Zoe forçasse.

— Ha, ha — riu Burt. — Meu primeiro hambúrguer de criança!

Ele tentou pegá-la. Zoe se esquivou, mas a mão grande e peluda dele a segurou pelo cabelo ruivo. Zoe sacudiu os braços, tentando se soltar. Agora ele havia colocado a outra mão no ombro dela e a segurava com firmeza.

Zoe acertou um tapa forte na cara dele, fazendo seus óculos escuros voarem pelo ar e caírem no chão.

— NÃO! — gritou Burt.

Zoe olhou bem nos olhos dele, mas as órbitas estavam vazias.

No lugar dos olhos, Burt tinha só dois buracos negros e escuros.

—AAAAAAAAAA AAAAAAHHHHHH HHHHHHHH! — gritou Zoe,

aterrorizada. — Você não tem *olhos*?

— Sim, criança, sou completamente cego.

— Mas... você não anda com um cão nem com bengala nem nada.

— Não preciso disso — disse Burt, orgulhoso. — Eu tenho isso aqui. — E deu um tapinha no nariz. — Por isso sou o maior caçador de ratos do mundo e de todos os tempos.

Zoe parou de se debater por um instante. Estava paralisada de pavor.

— O quê? Por quê?

— Como não tenho olhos, desenvolvi um olfato muito aguçado. Posso sentir o cheiro de um rato a quilômetros de distância. Ainda mais de um filhote bonitinho como aquele seu.

— Mas... mas... mas... você dirige um trailer! — disse Zoe, exasperada. — Você não pode dirigir sendo cego!

Burt sorriu, exibindo sua dentadura repulsiva.

— É muito fácil dirigir sem enxergar. Eu sigo meu nariz e pronto.

— Você vai acabar matando alguém!

— Nesses vinte e cinco anos, desde que comecei a dirigir, só atropelei cinquenta e nove pessoas.

— Cinquenta e nove?!

— Pois é, quase nada. Com alguns tive que dar ré para terminar o serviço.

— Assassino!

— Sou mesmo, mas, se você omitir esse detalhe, a seguradora mantém o bônus.

Zoe não tirava os olhos dos dois poços negros no rosto dele.

— O que aconteceu com os seus olhos?

Ela sabia que algumas pessoas nasciam cegas, é claro, mas Burt simplesmente *não tinha olhos*.

— Muitos anos atrás, eu trabalhava em um laboratório que fazia experimentos com animais — começou Burt.

— Um o quê? — interrompeu Zoe.

— Um laboratório de pesquisas médicas. Mas eu sempre ficava até tarde e fazia meus próprios experimentos!

— Tipo o quê? — perguntou Zoe, já sabendo que a resposta seria algo horrível.

— Arrancar asas de insetos, grampear o rabo dos gatos no chão, pendurar coelhos no varal pelas orelhas, só coisinhas divertidas.

— Divertidas?

— Sim.

— Você é doente.

— Eu sei — respondeu Burt com orgulho.

— Mas isso ainda não explica por que você não tem olhos.

— Tenha paciência, criança. Certa noite eu fiquei até muito tarde no laboratório. Era meu aniversário, então eu tinha planejado mergulhar um rato em ácido como um merecido presente.

— Não!

— Mas, antes que eu conseguisse afundar o bicho, aquela criatura maligna mordeu minha mão. Com força. A mesma mão que eu estava usando para segurar o recipiente com o ácido. A mordida fez com que eu puxasse a mão de dor, e o ácido voou direto para o meu rosto, queimando meus olhos.

Zoe estava sem voz diante do horror daquilo tudo.

— Depois disso — prosseguiu Burt —, eu pulverizei todos os ratos em que consegui botar as mãos. E agora vou ter que fazer a mesma coisa com você, já que veio xeretar meu projeto como se você mesma fosse um rato.

Zoe pensou por um momento.

— Bem — disse ela em desafio —, espere só para ver o fim que você vai ter.

— Não, não, não, querida. O fim vai ser agora mesmo. Mas vai ser o seu fim, não o meu!

25

Esmagada como uma barata

Com uma das mãos ainda no cadeado, Zoe finalmente conseguiu girar a chave. Puxou a cabeça com força para trás e, usando o rato do laboratório como inspiração, afundou os dentes no braço de Burt com toda a sua força.

— Aaaaaaaaaaaaaaaaaaaaaaaaaaaiiiiiii aaaiiiiiiiiiiiiiiiii!!!!!!! — gritou o homem maligno, que por reflexo puxou a mão do ombro dela, levando junto um tufo de seus fios ruivos. Zoe abriu a grande porta de metal do galpão e saiu correndo dali.

O lugar estava deserto, as luzes sombrias dos postes iluminavam uma rua de concreto rachado larga e vazia. Mato crescia por entre as rachaduras do chão.

Sem saber para onde ir, Zoe apenas correu. Correu, correu e correu. Estava correndo tão rápido que teve medo de tropeçar nas próprias pernas. Ela só conseguia pensar em se distanciar o máximo possível de Burt.

Sem ousar olhar para trás, ela ouviu Burt dar partida no trailer e engatar a marcha. Agora Zoe estava sendo perseguida por um cego ao volante. Quando a menina finalmente se virou, viu que o trailer não encontrou a porta que estava aberta, batendo na parede do galpão.

CCCCCCCRRRRAAAA AAAASSSSSSSSSSSSSSSSSSSSSSSSSSS SSSSSHHHHHHHHH! Mas o impacto não o deteve.

Em vez disso, o trailer acelerou cada vez mais rápido em direção a Zoe. Ela olhou para trás e viu, atrás do para--brisa, apenas os buracos escuros onde antes ficavam os olhos de Burt. Ele fungava sem parar, seu radar olfativo certamente sintonizado em "LOCALIZAR MENINA RUIVA".

O trailer seguia direto na direção dela, mais rápido a cada segundo. Zoe tinha que pensar em alguma coisa ou seria esmagada como uma barata.

E rápido.

Ela deu uma guinada para a esquerda; o trailer se jogou para a esquerda também. Ela correu para a direita; o trailer foi na mesma direção. O sorriso maligno de Burt

aumentava mais e mais atrás do volante. Ele estava muito, muito perto de fazer seu primeiro hambúrguer de menininha ruiva.

De repente o trailer arrancou e quase chegou a encostar em Zoe, que corria o mais rápido que suas perninhas permitiam. Um pouco mais à frente, ela viu alguns latões de lixo com uma pilha de sacos de lixo havia muito esquecida ao lado. Sua mente era mais rápida que suas pernas, e ela bolou um plano...

A menina pulou para o meio dos latões e pegou um saco especialmente pesado. Quando o trailer estava se aproximando de Zoe, ela jogou o saco na frente do carro. No momento do impacto, a menina soltou um grito de horror, como se tivesse sido atropelada.

— AAAAAAAAAAAA ARRRRRRRGGGGGGG!!!!!!!

Então Burt engatou a ré, com certeza pensando em passar mais uma vez por cima dela para garantir.

O motor roncou, e Zoe gritou. O trailer passou de ré sobre o saco.

Burt saiu do trailer, seu nariz se retorcendo enquanto ele tentava localizar o que acreditava ser o corpo de Zoe. Enquanto isso, a verdadeira Zoe saiu na ponta dos pés, passou por baixo de uma cerca de arame para um terreno baldio e continuou a correr, sem olhar para trás.

Quando seu corpo não aguentava mais correr àquela velocidade, Zoe reduziu o passo e então passou a andar. Enquanto caminhava, pensou muito e por bastante tempo no que ia fazer. Ela havia testemunhado um cego que dirigia trailers e fazia hambúrgueres de rato. Quem acreditaria nessa história? Quem a ajudaria? Ela *precisava* de alguém que pudesse ajudá-la. Não tinha condições de enfrentar Burt sozinha.

Um professor? Não. Afinal de contas, ela estava suspensa da escola e proibida de voltar. O diretor ia expulsá-la na mesma hora se ela pisasse no colégio.

Raj? Não. Ele morria de medo de ratos. Tinha saído correndo pela rua em pânico só de ver um filhotinho. Nunca que ela conseguiria fazê-lo pôr os pés dentro daquele galpão, que guardava milhares de ratos.

A polícia? Não. Eles nunca acreditariam naquela história mirabolante. Zoe seria apenas mais uma menina daquele conjunto habitacional violento que havia sido suspensa da escola e que agora estava mentindo para se livrar da encrenca. Como era muito nova, a polícia a levaria direto para casa, para sua madrasta malvada.

Havia apenas uma pessoa que podia ajudá-la naquela hora.

Seu pai.

Fazia muito tempo que ele não era um bom pai, desde a época em que chegava em casa e lhe dava sorvetes extraordinários para provar ou brincava com ela no parque. Mas Sheila estava enganada: seu pai a amava, sempre amara. Ele só estava tão triste que não conseguia mais demonstrar isso.

Zoe sabia onde encontrá-lo.

No bar.

Só tinha um problema. Na verdade, um problemão. Crianças não podem entrar em bares.

26

O Carrasco e o Machado

O pai de Zoe ia ao mesmo bar todos os dias, uma construção de telhado plano na extremidade do conjunto, com a Cruz de São Jorge pendurada acima da porta e um rottweiler de aspecto feroz amarrado do lado de fora. Não era um lugar para menininhas. Na verdade, a lei determinava que só maiores de dezesseis anos podiam entrar.

Zoe tinha doze. Pior ainda: era pequena para a idade e aparentava ter menos.

O nome do bar era O Carrasco e o Machado, e o lugar parecia ainda mais desagradável que o nome.

Passando a uma distância segura do rottweiler do lado de fora, Zoe espiou através da vidraça rachada do bar. Viu um homem que parecia seu pai, sentado sozinho e encurvado em uma mesa, segurando um enorme copo de cerveja pela metade. Ele devia simplesmente ter caído no sono. Ela bateu na janela, mas o homem não se mexeu. Bateu com mais força, mas seu pai não despertou.

Agora Zoe não tinha escolha senão desobedecer à lei e entrar. Ela respirou fundo e ficou na ponta dos pés para parecer mais alta, apesar de não haver chance alguma de alguém achar que Zoe tinha idade suficiente para entrar ali.

Quando a menina abriu a porta vaivém, vários gordos carecas vestidos com a camisa da seleção de futebol da Inglaterra olharam ao redor e em seguida para baixo, até encontrarem Zoe. Na opinião deles, aquele bar não era apropriado nem para mulheres, que dirá para menininhas.

— Vá embora! — gritou o dono do bar, com a cara toda vermelha.

Sua cabeça também era calva, com restos de cabelo dos lados e um rabo de cavalo. Havia tatuado na cabeça o nome do time WEST HAM. Na verdade, não era isso, era MAH TSEW. Ele obviamente tinha feito aquilo sozinho diante do espelho, porque as letras estavam invertidas.

— Não — disse Zoe. — Preciso falar com o meu pai.

— Não quero nem saber — rosnou o dono. — Fora! Fora do meu bar!

— Se você me expulsar, vou entregá-lo à polícia por deixar menores de idade beberem aqui!

— Que história maluca é essa? Quem?

Zoe então tomou um gole do copão de cerveja de um velho sem dentes sentado em uma mesa ali perto.

— Eu! — disse, triunfante, antes que o gosto horrível do álcool tomasse sua língua, e de repente ela sentiu mais do que um leve enjoo.

O homem de cara vermelha e rabo de cavalo ficou um tanto confuso com essa lógica e não reclamou mais. Zoe se aproximou da mesa de seu pai.

— PAI! — gritou ela. — PAI!!!

— O quê? O que aconteceu? — perguntou ele, acordando assustado.

Zoe sorriu.

— Filha? O que está fazendo aqui, menina? Não me diga que sua mãe mandou você...

— Ela não é minha mãe, e não, não mandou.

— Então por que você está aqui?

— Preciso de ajuda.

— Para quê?

Zoe respirou fundo.

— Tem um homem em um galpão nos limites da cidade que, se não for detido agora mesmo, vai transformar meu rato de estimação em hambúrguer.

O pai não pareceu acreditar muito naquilo. Pela expressão em seu rosto, ele devia estar achando que a filha estava com um parafuso solto.

— Rato de estimação? Hambúrgueres? Zoe, por favor... — O pai revirou os olhos. — Você está querendo me enrolar!

Zoe olhou-o nos olhos.

— Eu já menti para você alguma vez, pai?

— Bem, eu, hã...

— Isso é importante, pai. Pense. Eu já menti alguma vez para você?

O pai pensou por um instante.

— Bem, você disse que eu ia arranjar outro emprego...

— E vai, pai, confie em mim. Você só não pode desistir, nunca.

— Já desisti — disse ele com tristeza.

Zoe olhou para o pai, tão abatido pela vida.

— Você não precisa desistir. Acha que *eu* devo simplesmente desistir do meu sonho de ser uma treinadora de animais?

O pai franziu a testa.

— Não, é claro que não.

— Bem, então vamos combinar uma coisa: nenhum de nós dois vai desistir dos próprios sonhos. — O pai de Zoe assentiu, mas sem muita confiança. Então ela se aproveitou do momento: — E é exatamente por isso que eu preciso do meu rato de volta. Eu o treinei, ele já sabe fazer muitos truques. Ele vai ser sensacional.

— Mas... um galpão? Hambúrgueres? Isso me parece maluquice.

Zoe olhou no fundo dos olhos grandes e tristes de seu pai.

— Não estou mentindo, pai. Juro.

— Bem, não, mas... — balbuciou ele.

— Sem "mas", pai. Preciso de ajuda. Agora. Esse homem ameaçou me transformar em hambúrguer.

Então o rosto de seu pai foi tomado por uma expressão de horror.

— O quê? Você?

— É.

— Não só os ratos?

— Não.

— Minha menininha? Virar hambúrguer?

Zoe assentiu devagar.

O pai então se levantou da cadeira.

— Que sujeito mau! Vou fazê-lo pagar por isso. Agora... deixe só eu tomar mais uma cerveja que a gente vai.

— Não, pai, você precisa vir comigo agora.

Nesse momento o telefone de seu pai tocou. O nome que apareceu na tela era "Dragão".

— Quem é Dragão?

— Sua mãe. Quer dizer, Sheila.

Então o nome de Sheila no celular do pai de Zoe era "Dragão"? Ela sorriu pela primeira vez em séculos.

Zoe teve um pressentimento horrível. Talvez Burt estivesse com Sheila.

— Não atenda! — implorou ela.

— Como assim "não atenda"? Ela vai encher o meu saco se eu não atender!

Ele levou o celular ao ouvido.

— Oi, meu amor — disse o pai, em um tom afetuoso nada convincente. — Sua enteada?

A menina balançou a cabeça violentamente para o pai, em negativa.

— Não, não, eu não a vi... — mentiu ele. Zoe respirou aliviada. — Por quê?

O pai escutou por um instante, depois cobriu o telefone com a mão para que Sheila não ouvisse o que ele estava prestes a dizer.

— Tem um homem do controle de pragas no apartamento. Ele está procurando por você. Disse que vai devolver seu rato de estimação. Quer entregá-lo pessoalmente. Só para garantir.

— É uma armadilha — sussurrou Zoe. — Foi ele quem tentou me matar.

— Se eu me encontrar com ela, ligo para você imediatamente, amor. Tchau!

Zoe podia ouvir a madrasta gritando do outro lado da linha quando o pai desligou.

— Pai, precisamos ir ao galpão desse homem mau agora mesmo. Se corrermos, podemos chegar lá antes dele e salvar Armitage.

— Armitage?

— Meu rato de estimação.

— Ah, está certo. — O pai pensou por um minuto. — De onde você tirou esse nome?

— É uma longa história. Vamos, pai, vamos logo. Não temos tempo a perder...

27

Um buraco na cerca

Zoe conduziu o pai para fora do bar, contornando o rottweiler e enfim chegando à calçada. O pai ficou ali parado, oscilando sob a luz laranja do poste por um instante. Ele olhou dentro dos olhos da filha e, depois de um longo silêncio, falou:

— Estou com medo, meu amor.

— Eu também. — Ela estendeu a mão e segurou a do pai com carinho. Era a primeira vez que eles davam as mãos em meses, talvez anos. O pai de Zoe sempre fora muito carinhoso, mas, após a morte da esposa, ele tinha mergulhado em depressão e nunca mais fora o mesmo. — Mas nós podemos fazer isso juntos, sei que podemos.

O pai baixou os olhos para a mão da filha, tão pequena na dele, e uma lágrima brotou em seu olho. Zoe sorriu, encorajando-o.

— Vamos lá... — disse ela.

Logo estavam correndo pelas ruas iluminadas, os intervalos de claro e escuro se alternando cada vez mais rápido.

— Então esse maluco faz ratos de hambúrguer? — perguntou o pai, sem fôlego.

— Não, pai, é o contrário.

— Ah, claro, me desculpe.

— E ele tem um galpão enorme em uma área industrial longe do centro da cidade — explicou Zoe, arfante, puxando o pai pela mão.

— Era onde ficava a fábrica de sorvete!

— Fica a quilômetros de distância, pai.

— Não fica nada. Eu sempre pegava um atalho quando estava atrasado, é só a gente seguir por este caminho. Venha comigo.

Ele a segurou pela mão e a conduziu por um buraco em uma cerca. Zoe não conseguiu conter um sorriso diante da empolgação que sentia com aquilo tudo.

Logo sua animação murchou um pouco quando ela se deu conta de que tinham ido parar em um lixão.

Em segundos o pai estava com lixo na altura dos joelhos e Zoe afundada até a cintura. Ela tropeçou, então o pai a pôs em seus ombros, como fazia ao saírem para

passear no parque quando ela era bem pequena. As mãos
dele seguravam as perninhas dela com firmeza.

Atravessaram juntos o mar de sacos de lixo e logo viram os galpões e armazéns. Um cemitério gigante de prédios vazios sob o sol forte.

— Era ali que eu trabalhava — disse o pai, apontan-
do para uma das construções cujo velho letreiro dizia:
FÁBICA DE SORVETES DELICIOSOS.

— Fábica? — estranhou Zoe.

— Alguém levou o "R"! — respondeu o pai, e os dois riram. — Nossa, tem anos que eu não venho aqui.

Zoe apontou para o galpão que agora tinha um buraco no formato de trailer na parede.

— Aquele é o do Burt!

— Certo.

— Vamos lá. Temos que salvar Armitage.

Pai e filha deram a volta na construção até encontrarem o buraco gigante na parede. Chegando lá, pararam e olharam para o interior cavernoso do galpão. Ele parecia vazio, exceto pelos milhares de ratos. As pobres criaturas ainda estavam em gaiolas empilhadas, aguardando seu repulsivo destino como fast-food.

Burt não estava lá dentro, ainda devia estar na casa de Zoe com Sheila, esperando a menina chegar em casa. Sem dúvida babando com a ideia de transformá-la em hambúrguer — um hambúrguer bem grande, aliás.

Mesmo tremendo de medo, Zoe e o pai entraram. Ela lhe mostrou a terrível máquina de pulverização.

— Ele sobe essa escada e joga os ratos nesse funil gigante, e os pobrezinhos são moídos aqui até virar hambúrguer.

— Caramba, é inacreditável! — exclamou o pai. — Então é verdade *mesmo*.

— Eu não disse?

— Qual dessas pobres criaturinhas é Armitage? — perguntou o pai, olhando para os milhares de roedores aterrorizados na montanha de gaiolas.

— Não sei — admitiu ela, olhando para todas as carinhas assustadas que espiavam do outro lado das grades.

As gaiolas estavam empilhadas uma em cima da outra. Vendo os bichinhos ali, formando uma grande torre de ratos, ela se lembrou do prédio em que morava com o pai e a madrasta.

Ainda assim, pensou Zoe. *A situação desses ratos é pior. Imagine só, ser moído e transformado em hambúrguer.*

— Bom, onde ele está? — perguntou ela. — Ele tem um focinho rosado muito fofo.

— Sinto dizer, querida, mas para mim todos parecem iguais — admitiu o pai, tentando desesperadamente encontrar algum que tivesse o focinho mais rosado que os outros.

— Armitage? ARMITAGE! — chamou Zoe.

Todos os ratos guincharam. Todos queriam escapar.

— Vamos ter que soltar todos — disse ela.

— Bom plano — retrucou o pai. — Certo, você sobe nos meus ombros e abre as gaiolas.

Ele a levantou e a pôs sentada em seus ombros. Então Zoe se apoiou na cabeça do pai e lentamente ficou de pé.

A menina começou a abrir o arame que mantinha as gaiolas fechadas. Eu digo gaiolas, mas na verdade eram velhas cestas de metal de fritadeiras.

— Como está indo aí? — perguntou o pai.

— Estou tentando. Já quase consegui abrir a primeira.

— Boa garota! — exclamou ele para encorajá-la.

Entretanto, antes que Zoe conseguisse terminar de abrir a primeira gaiola, o trailer de Burt, agora sem dúvida muito mais acabado, entrou roncando no galpão, arrancando a grande porta corrediça de metal...

CCCCCRRRRRRR RRRRAAAAASSSSSSSSS SSSSSSHHHHHH!!!!!!!!!!!!!!!

... antes de frear bruscamente, cantando pneu.

RRRRRRRRRRRrrrrrrrrr
RRRRRRRRRRRRRRRRRRR
RRrrrrrrrrrrrrrrrrr
RRRRRRRRRRRRRRRRRRR
RRRRRRRRRRRRRRRRRRR
RRRRRRRRRRRRRRRRRRR
RRRRRRRRRRRRRRRRRRR
RRRRRRRRRRRRRRRRRRR
RRRRRRRRRRRRRRRRRRR
RRRRRRRRRRRRRRRRRRR
RRRRRRRRRRRRRRRRRRR
RRR!!!!!!!!!!!!!!!!!!!!!!!!!!!!!!
!!!!!!!!!!!!!!!!!!!!!!!!!!!!!!!!
!!!!!!!!!!!!!!!!!!!!!!!!!!!!!!!!
!!!!!!!!!!!!!!!!!!!!!!!!!

Zoe e seu pai estavam muito encrencados...

28

Veneno de rato

— Agora eu peguei você! — rosnou Burt, saltando do trailer. — Quem é esse aí com você, garotinha?

O pai ficou nervoso e ergueu os olhos para a filha.

— Ninguém! — disse ele.

— É o inútil do meu marido! — anunciou Sheila, descendo do banco do carona.

— Sheila? — exclamou o pai, horrorizado. — O que você está fazendo aqui?

— Eu não quis contar a você, pai — disse Zoe, descendo dos ombros dele para o chão. — Mas eu vi esses dois cheios de amores um com o outro...!

— Não!

Sheila deu um sorriso presunçoso.

— É, é isso mesmo que a pestinha disse. Vô fugir com Burt no trailer dele.

A mulher foi até o exterminador de ratos e segurou sua mão.

— Sentimos um amor profundo um pelo outro.

— E por pulverizar ratos — acrescentou Burt.

— Sim, adoramos matar roedores!

Dizendo isso, o casal trocou um beijo de revirar o estômago. Foi o suficiente para dar ânsias de vômito em Zoe.

— Mas eu gostava mais de você com bigode, Burt — disse a mulher estupendamente gorda. — Você deixa crescer de novo?

— Vocês são nojentos! — gritou o pai. — Como podem sentir prazer em matar todas essas pobres criaturas?!

— Ah, cala a boca, seu idiota! — berrou Sheila. — Esses ratos merecem morrer, são repulsivos! — Ela fez uma pausa e encarou a enteada. — Foi por isso que eu matei seu hamster.

— Você matou Gergelim? — gritou Zoe, com lágrimas nos olhos. — Eu sabia!

— Mulher diabólica! — berrou o pai.

Sheila e Burt deram uma gargalhada perversa e doentia, unidos pela crueldade.

— Matei mesmo, não queria aquela coisinha imunda na minha casa. Então coloquei veneno de rato na comida dele. Ha ha! — acrescentou a mulher repugnante.

— Como pôde fazer isso? — gritou o pai.

— Ah, cala a boca. Era só um hamster. Eu sempre odiei aquele bicho!

— Veneno de rato. Humm. Uma boa morte, bem lenta! — comentou Burt, com uma risada rouca. — Eles só ficam com um gostinho estranho depois, só isso.

Zoe se jogou contra o casal. Sua vontade era fazer picadinho deles, mas seu pai a segurou.

— Zoe, não! Você não sabe do que eles são capazes. — O pai teve que usar toda a sua força para evitar que ela os atacasse. — Olhem, não queremos encrenca — disse ele. — Apenas nos entreguem o ratinho de estimação de Zoe. Agora. E a gente vai embora.

— Nunca! — rosnou Burt. — Os filhotes são os mais suculentos. Eu estava guardando esse para o nosso primeiro encontro, Sheila. Hummmm...

Lentamente, Burt enfiou a mão no bolso de seu avental imundo.

— Na verdade — disse ele —, estou com seu precioso Armitage bem aqui...

Pegou o ratinho do bolso pelo rabo. Então Armitage estava ali o tempo todo, e não em uma gaiola! Burt tinha amarrado as minúsculas patinhas dele com arame para que não pudesse fugir.

— Nãããão000! — gritou Zoe quando o viu daquele jeito.

— Ele vai virar um hambúrguer delicioso! — disse Burt, lambendo os beiços.

Sheila observou a pobre coisinha pendurada no ar e então se virou para Burt.

— Você pode comê-lo, amor da minha vida — disse ela. — Acho que vô ficar só com as batatinhas de camarão mesmo se você não se incomodar.

— Como quiser, meu anjo.

O homem cego seguiu aos tropeços na direção da máquina de pulverização e acionou a alavanca. Um ruído metálico terrível ecoou pelo galpão. Burt começou a subir a escada até o funil lá no alto.

— Solte o rato! — exigiu o pai.

— Como se alguém desse a mínima para o que você diz! Você é uma piada! — disse Sheila, rindo.

Zoe conseguiu se soltar das mãos do pai e correu na direção de Burt. Tinha que salvar Armitage! Mas o homem maligno já estava na metade da escada, e o pobre Armitage agitava seu corpinho o máximo que podia, guinchando aterrorizado. Zoe agarrou a perna de Burt, que sacudiu o pé com força para se livrar dela. E assim ele a chutou no nariz, derrubando-a com força no chão de concreto.

—AAAaaaaa AAAAAHHHHH HHH!!!!!!— gritou Zoe.

Seu pai correu até a escada e a subiu, indo atrás do exterminador de ratos. Logo os dois homens estavam se equilibrando precariamente no último degrau. A escada balançava de um lado para o outro sob o peso dos dois. O pai da menina agarrou Burt pelo pulso e o puxou para baixo, tentando forçá-lo a largar o ratinho.

— Aproveite e jogue meu marido na máquina de hambúrguer! — zombou Sheila.

O cotovelo do pai passou perto do rosto de Burt, acertando seus óculos escuros e os arrancando do rosto do homem. Ele ficou tão horrorizado ao deparar com as duas órbitas negras e vazias que deu um passo para trás e perdeu o equilíbrio. Seu pé escorregou, escapando da escada e indo na direção do funil.

Ele começou a cair na máquina de pulverização. Agarrou-se desesperadamente ao avental de Burt, mas aquilo estava tão engordurado que suas mãos imediatamente começaram a escorregar.

— Por favor, por favor — implorou o pai. — Me ajude a subir.

— Não. Vou dar você para as crianças comerem. — Burt deu uma risada rouca, uma risada que vinha do fundo da garganta, e começou a puxar os dedos do pai de Zoe, um a um, de seu avental. — E sua filha é a próxima!

— É! Jogue a pestinha aí dentro também! — vibrou Sheila.

Quase sem ar, Zoe tentou se levantar, conseguindo engatinhar na direção da escada para ajudar o pai. Sheila tentou desesperadamente detê-la, agarrando-a com força pelo cabelo e puxando-a para trás. Então girou a enteada pelo cabelo e a arremessou longe.

Zoe subiu, subiu e subiu...

E em seguida caiu.

Com força.

E gritou de dor quando atingiu o chão pela segunda vez:

—Aaaaaaaaaaaa aaaaaaaaaaaahhhhhh hhhhhh!!!!!!!!!!!

Apesar de seu cabelo grosso e emaranhado, o impacto deixou Zoe tonta por um momento.

— Burt? Espere aí que vou ajudá-lo a acabar com ele! — gritou Sheila, indo na direção dos dois homens, que ainda brigavam em cima da máquina de hambúrguer.

Aos poucos a mulher grotescamente gorda começou a subir as escadas, e os degraus rangeram sob seu peso considerável.

Ainda tonta, Zoe abriu os olhos e viu a madrasta se esforçando para manter o equilíbrio no alto da escada. A mulher estava tentando tirar os dedos do pai de Zoe do avental engordurado de Burt. Foi soltando-os um a um, rindo à medida que o marido ficava cada vez mais perto de virar hambúrguer.

Sheila, porém, era tão pesada que, quando se debruçou para soltar o último dedo do pobre homem, seu peso fez a escada inteira desabar para o lado.

CCCCCRRRRRR RRRRAAAAASSSSSSSS SSSSSSHHHHH!!!!!!!!!!!!

Burt e Sheila caíram para a frente, de cabeça dentro da máquina de pulverização...

... O pai de Zoe conseguiu, por pouco, se agarrar a um lado do funil com uma das mãos...

... Já Armitage estava caindo dentro da máquina junto com o cruel exterminador de ratos. Agora, nada poderia impedir que o ratinho fosse pulverizado...

29

Pantufas cor-de-rosa

Enquanto Burt caía, Armitage mordeu o dedo do homem terrível. Guinchando de dor, Burt sacudiu a mão, lançando o rato no ar.

O ratinho subiu, subiu e subiu...

... direto para a mão esticada do pai de Zoe.

— Peguei! — gritou o pai, que agora se viu pendurado por apenas uma das mãos à borda do funil, a outra segurando o roedor. Armitage guinchava como um louco.

Naquele momento, eles ouviram um som gorgolejante: era o casal repugnante passando pelo moedor de carne.

A máquina chacoalhou e rangeu como nunca quando eles passaram por baixo dos rolos. Por fim, saíram de lá dois hambúrgueres muito grandes.

Em um deles, ainda era possível ver alguns pedaços dos óculos escuros gigantes de Burt. No outro, as pantufas cor-de-rosa de Sheila. Eram os hambúrgueres menos apetitosos do mundo.

—SOCORRO!

— berrou o pai de Zoe, que estava prestes a virar um hambúrguer também...

Zoe voltou sua atenção para o funil.

Seu pai ainda estava pendurado na beira da máquina de pulverização com uma das mãos engorduradas e segurando Armitage com a outra.

Os pés do pai de Zoe ainda balançavam acima dos moedores da máquina, que raspavam as pontas de seus sapatos com um ruído que lembrava uma folha de papel no triturador.

Zoe viu que ele estava escorregando. Por causa da gordura que o avental de Burt havia deixado em sua mão, ele estava lenta mas inevitavelmente caindo.

A qualquer instante daria seu último suspiro.

E depois sairia da máquina como outro hambúrguer gigante.

Com a cabeça ainda girando devido à pancada, Zoe rastejou pelo piso gelado de concreto até a máquina.

— Desligue isso! — gritou o pai.

Zoe correu até a alavanca na lateral, mas, por mais que tentasse, não conseguia mexer naquilo.

— Está emperrada! — gritou ela.

— Então pegue a escada — gritou o pai.

Zoe olhou: a escada estava caída no chão no mesmo lugar onde desabara.

— **DEPRESSA!** — berrou o Pai.

— **SQUIIIIC!** — gritou Armitage, enrolando seu rabinho o mais apertado possível em volta da mão livre do pai de Zoe.

— Está bem, está bem, já vou!

Usando toda a sua força, ela pegou a escada do chão, levantou-a, posicionou-a e subiu os degraus correndo. No alto, olhou para o interior da máquina. Era como olhar dentro da boca de um monstro. Os moedores eram como dentes gigantes capaz de mastigar qualquer um em pedacinhos.

— Aqui! — disse o pai. — Pegue Armitage.

Zoe esticou o braço para pegá-lo, e seu pai o entregou a ela. Suas patinhas ainda estavam presas com arame. Ela o abraçou forte contra o peito e deu-lhe um beijo no focinho.

— Armitage? Armitage? Você está bem?

Presenciando aquele encontro comovente, o pai revirou os olhos.

— Ele está bem. Mas e eu?

— Ah, sim, me desculpe, pai!

Colocando Armitage no bolso interno do casaco, Zoe se abaixou na escada e estendeu as mãos para ajudar o pai. Mas seu pai era pesado, e Zoe balançou perigosamente no alto da escada, quase caindo de cabeça na máquina.

— Cuidado, Zoe! Não quero ter que puxar você também.

A menina desceu alguns degraus, enrolou o pé em um degrau para formar uma espécie de âncora e estendeu os braços. O pai se agarrou a ela e finalmente conseguiu sair dali.

Após descer a escada, ele puxou a alavanca e desligou a máquina, para então cair exausto no chão.

— Você está bem, pai? — perguntou Zoe, de pé ao lado dele.

— Alguns cortes e hematomas, mas vou sobreviver. Venha aqui. Seu velho pai precisa de um carinho. Eu amo você e você sabe disso, não sabe?

— Sempre soube, eu também amo você...

Zoe se deitou ao lado do pai, que a abraçou com seus braços compridos. Quando ele fez isso, ela tirou Armitage do bolso e cuidadosamente desamarrou suas patinhas. Juntos, eles se deram um grande e carinhoso abraço em família.

Armitage interrompeu o momento:

— Squiiicc! — E fez uma dancinha para chamar a atenção de Zoe para a torre de ratos que ainda estavam tão cruelmente esmagados uns contra os outros dentro das gaiolas.

— Acho que Armitage está tentando nos dizer alguma coisa, pai.

— O quê?

— Acho que ele quer que soltemos seus amigos.

O pai olhou para as gaiolas empilhadas quase até o teto. Estavam todas abarrotadas de pobres ratos famintos.

— Sim, é claro. Eu quase esqueci!

O pai levou a escada até as gaiolas e subiu até o último degrau. Com Armitage novamente em segurança em seu bolso, Zoe subiu nos ombros dele para alcançar a gaiola do alto.

— Cuidado! — disse o pai.

— Não largue meus pés!

— Não se preocupe, estou segurando você!

Finalmente Zoe conseguiu abrir a primeira gaiola. Os ratos saíram em disparada, o mais rápido que puderam, usando a menininha e seu pai como escada para descerem até o chão. Logo Zoe tinha aberto todas as gaiolas e havia milhares de ratos correndo desembestados pelo chão do galpão, saboreando a liberdade recém-conquistada. Então os dois abriram o tanque de baratas, que por pouco não haviam sido moídas e transformadas em ketchup!

— Olhe — disse o pai. — Ou melhor, não olhe, você é nova demais para ver isso.

É óbvio que você deve saber, leitor, que não há nada melhor para fazer uma criança olhar para alguma coisa.

Claro que Zoe olhou.

Eram os hambúrgueres fresquinhos de Burt e Sheila. Os ratos os estavam devorando com avidez. Finalmente a vingança!

— Que nojo — disse Zoe.

— Pelo menos eles estão se livrando das provas — disse o pai. — Agora vamos, é melhor sairmos daqui...

Ele a pegou pela mão e a conduziu para fora do galpão. Zoe olhou para trás, para o trailer caindo aos pedaços.

— E o que devemos fazer com o trailer? Burt não vai mais precisar dele.

— É, mas o que será que poderíamos fazer com isso? — perguntou o pai, intrigado.

— Bem, eu tenho uma ideia...

30

Colegas de quarto

O inverno deu lugar à primavera enquanto o trailer era remodelado. Só para remover a gordura que tinha se acumulado por toda a superfície do veículo, por dentro e por fora, eles levaram uma semana. Até o volante estava pegajoso de tanta sujeira. Mas o trabalho nem parecia trabalho, porque Zoe e o pai fizeram quase tudo sozinhos, e foi surpreendentemente divertido. Como estava muito feliz, o pai de Zoe não foi ao bar nenhuma vez, e isso também deixou a menina feliz.

Havia, porém, um problema. Como estava desempregado, o pai de Zoe recebia apenas um seguro-desemprego, que era uma mixaria. Mal dava para alimentar a ele e à filha, muito menos reformar um trailer.

Felizmente, o pai de Zoe era um sujeito muito esperto.

Ele tinha encontrado um monte das peças de que precisava para o trailer no lixão. Achou um freezer velho e o consertou, e ia usá-lo para guardar os picolés. Uma pia velha se encaixou perfeitamente na parte de trás do trailer para lavar as colheres de sorvete. Em uma pilha de sucata, Zoe encontrou um funil velho que, com um pouco de tinta e papel machê, os dois conseguiram transformar em uma casquinha de sorvete para prender na frente do trailer.

E então finalmente ficou pronto.

Um trailer de vender sorvete.

A suspensão de Zoe terminava no dia seguinte. Havia, porém, uma última decisão a se tomar. Algo importante, crucial, que precisavam resolver. Uma questão de fato extremamente importante.

O que escrever na lateral do trailer?

— Você devia colocar o seu nome — disse Zoe quando se afastaram para admirar o trabalho concluído.

O trailer reluzia ao sol da tarde no estacionamento do conjunto habitacional. O pai tinha na mão um pincel e uma lata de tinta.

— Não, tenho uma ideia melhor — disse ele, com um sorriso.

O pai então começou a pintar as letras. Zoe ficou olhando, intrigada. "Sorvetes do...", leu ela. De quem?

A primeira letra que viu foi um "A".

— Pai, o que você está escrevendo? — quis saber Zoe, ansiosa.

— Shhhh. Você vai ver.

Depois "R", depois "M".

Logo Zoe entendeu e não conseguiu conter o grito:

— *Armitage!*

— É, ha, ha! — riu o pai. — "Sorvetes do Armitage".

— Adorei! — disse Zoe, saltitando sem parar de tanta empolgação.

O pai acrescentou o "I", depois o "T", depois o "A", o "G" e o "E".

— Tem certeza de que quer dar o nome dele? — perguntou Zoe. — Afinal de contas, ele é só um ratinho.

— Eu sei, mas sem ele nada disso teria acontecido.

— Tem razão, pai. Ele é muito especial.

— Por falar nisso, você nunca me disse por que ele se chama Armitage.

Zoe engoliu em seco. Essa não era a hora de contar ao pai que ele havia acabado de escrever o nome de uma marca de privadas na lateral de seu reluzente trailer de sorvete.

— Hã... é uma longa história, pai.

— Eu tenho o dia inteiro.

— Certo. Está bem, mas outro dia. Prometo. Na verdade, preciso ir lá buscá-lo. Quero que ele veja o que fizemos com o trailer...

Armitage agora estava bem crescido e não cabia mais no bolso do casaco de Zoe, por isso ela o havia deixado em casa.

Zoe subiu empolgada a escada do prédio e correu direto para seu quarto. Armitage estava na velha gaiola de Gergelim. Seu pai havia retirado a gaiola da loja de penhores em troca de uma caixa gigante de batatinhas de camarão que, sabe-se lá como, sua ex-mulher não tinha devorado.

É claro que o quarto já não era mais apenas de Zoe.

Não: desde que a parede havia sido derrubada, agora era um quarto duas vezes maior, que ela dividia com outra pessoa.

E essa outra pessoa era Tina Trotts.

O síndico já devia ter consertado a parede, mas tudo ainda estava na mesma. Para a surpresa da menina, quando ela entrou no quarto encontrou Tina ajoelhada ao lado da gaiola de Armitage, alimentando o ratinho através da grade com farelos de pão.

— O que você está fazendo? — perguntou Zoe.

— Ah, achei que ele estivesse com um pouco de fome... — disse Tina. — Espero que você não se importe.

— Deixe que eu faço isso, obrigada — respondeu Zoe, tirando a comida das mãos de Tina.

Ela ainda desconfiava de tudo o que a ex-valentona fazia. Afinal de contas, Tina costumava cuspir na cabeça de Zoe todos os dias quando ela saía para a escola. A mágoa que Tina lhe havia causado não era algo fácil de esquecer.

— Você ainda não confia em mim? — perguntou Tina.

Zoe pensou um pouco.

— Vamos torcer para que o síndico refaça logo essa parede — disse ela por fim.

— Eu não me importo. Na verdade, gosto de ser sua colega de quarto.

Zoe não disse nada. O silêncio pairou no ar por um instante, e Tina começou a se remexer, desconfortável.

Aargh, pensou Zoe. *Pare de sentir pena de Tina Trotts!*

O problema era que, nas últimas semanas, Zoe descobrira muito mais sobre a vida de Tina. Um pai horroroso, um cara grande como um urso, que gritava com ela quase toda noite. Ele gostava de fazer a filha se sentir uma inútil, e cada vez mais Zoe achava que era por isso que Tina fazia a mesma coisa com as outras pessoas. Não só com Zoe, mas com *qualquer um* mais fraco do que ela. Um círculo vicioso movido à crueldade que podia continuar para sempre se ninguém o detivesse.

Entretanto, por mais que Zoe agora entendesse Tina, ainda não conseguia gostar dela.

— Tem uma coisa que eu preciso dizer a você, Zoe — disse Tina repentinamente, com os olhos cheios de lágrimas. — Uma coisa que eu nunca disse a ninguém. Nunca. Nunca, nunca, nunca. E, se contar a alguém, eu mato você.

Meu Deus, pensou Zoe. *O que será? Um segredo terrível? Será que Tina tem uma segunda cabeça que fica sempre escondida sob o moletom? Ou será que, na verdade, ela é um menino chamado Bob?*

Não, leitor. Não era nada disso.

Era algo muito mais chocante...

31

Rato rico e famoso

— Desculpe — disse Tina por fim.

— Desculpe? É isso o que você nunca disse a ninguém?

— Hã... é.

— Ah. — Zoe estava decepcionada. — Ah, tudo bem.

— Então você me perdoa?

Zoe olhou para a grandalhona e deu um suspiro.

— Claro, Tina, eu perdoo você.

— Eu sinto muito por ter sido tão cruel com você — disse Tina. — É que... eu fico com tanta raiva! Ainda mais quando meu pai está... você sabe. Tenho vontade de quebrar alguma coisa pequena.

— Como eu.

— Eu sei. Sinto muito mesmo.

Tina agora estava até chorando. Isso deixava Zoe um tanto desconfortável. Ela quase preferia que, em vez disso,

Tina cuspisse nela. Zoe passou o braço ao redor da garota e a abraçou com força.

— Eu sei. Eu sei — disse com doçura. — Todo mundo tem uma vida difícil, de um jeito ou de outro. Mas me escute... — Zoe limpou as lágrimas de Tina, delicadamente, com os polegares. — Precisamos ser legais uma com a outra e ficarmos juntas, está bem? Esse lugar já é bem difícil sem que você infernize minha vida.

— Então nada de cuspir na sua cabeça?

— Não.

— Nem mesmo nas terças-feiras?

— Nem mesmo nas terças-feiras.

Tina sorriu.

— Tudo bem.

Zoe devolveu as migalhas de pão para Tina.

— Não me importo que você dê comida para meu amiguinho. Aqui. Vá em frente.

— Obrigada — disse Tina. — Você ensinou algum truque novo a ele? — perguntou ela, seu rosto se iluminando.

— Tire ele da gaiola que eu mostro.

Tina abriu a gaiola com cuidado, e Armitage tentou subir em sua mão. Dessa vez ele não a mordeu. Em vez disso, esfregou seu corpo macio nos dedos dela.

Zoe pegou um amendoim de um saquinho na estante enquanto sua nova amiga tirava Armitage da gaiola e o colocava no carpete encardido. Ela mostrou o amendoim para ele.

Armitage logo ficou de pé nas patinhas traseiras e fez uma dancinha bem divertida. Só então ganhou o amendoim de Zoe. Ele o pegou entre as patinhas e o roeu avidamente.

Tina começou a aplaudir com entusiasmo.

— Impressionante! — exclamou ela.

— Isso não é nada! — retrucou Zoe, cheia de orgulho. — Veja só isso!

Com a promessa de mais alguns amendoins, Armitage rolou para a frente, deu uma cambalhota para trás e até girou no chão, como se estivesse dançando break!

Tina não podia acreditar nos próprios olhos.

— Você devia levá-lo àquele programa de talentos na tevê.

— Eu ia adorar! — disse Zoe. — Ele podia ser o primeiro rato rico e mundialmente famoso. E você podia ser minha assistente de palco.

— Eu?! — disse Tina, sem acreditar.

— É, você. Na verdade, preciso de sua ajuda para um novo truque em que andei pensando.

— Legal, legal, eu ia adorar! — disse Tina, toda animada. — Ei! — acrescentou, como se tivesse se lembrado de alguma coisa.

— O que foi?

— O show de talentos!

Zoe ainda não havia voltado à escola desde que fora suspensa, então tinha se esquecido completamente do evento.

— Ah, é mesmo. Aquele que está sendo organizado pela Srta. Ana.

— Anã, é. Devíamos inscrever Armitage totalmente.

— Ela *nunca* vai me deixar levar Armitage à escola de novo. Para começar, ele foi a causa da minha suspensão!

— Não, não, não, eles discutiram isso em assembleia. Como o show é de noite, o diretor criou uma regra especial. Bichos de estimação estão autorizados.

— Bem, ele não é um cachorro nem um gato, mas acho que é um bicho de estimação — ponderou Zoe.

— Claro que é! E escute só esta: a Anã toca tuba. Eu a ouvi ensaiando. É um horror! Todas as crianças sabem que ela só está fazendo isso para dar mole para o diretor.

— Ela é louca por ele! — disse Zoe.

As duas riram. A ideia da minúscula professora tocando aquele instrumento imenso já era engraçada por si só, e a coisa ficava ainda mais cômica considerando que ela agia assim como técnica de sedução!

— Preciso ver isso! — disse Zoe.

— Eu também — disse Tina, rindo.

— Só preciso mostrar uma coisa para Armitage lá embaixo rapidinho, depois podemos passar a noite ensaiando um novo truque!

— Mal posso esperar! — concordou Tina, empolgadíssima.

32

Chocolate até Demais

Descer as escadas era mais fácil do que subir, e a tinta ainda estava fresca na traseira do trailer quando Zoe, sem fôlego, mostrou a Armitage o resultado do trabalho que fizera com o pai. Dentro do trailer, o pai de Zoe levantou a janela que dava para o balcão. Ela nunca o tinha visto tão feliz.

— Vamos lá, você é a minha primeira cliente. O que vai querer, madame?

— Hummm...

Zoe examinou os sabores. Fazia muito tempo que ela não comia aqueles deliciosos cremes geladinhos; provavelmente não tomava sorvete desde que o pai fora demitido, o que pusera um fim àquelas noites em que ele chegava em casa correndo da fábrica com algum novo sabor maluco para ela experimentar.

— Casquinha ou copinho, madame? — perguntou o pai, já curtindo o novo trabalho.

— Casquinha, por favor.

— Algum sabor em especial? — perguntou ele com um sorriso.

Zoe se debruçou sobre o balcão e analisou a comprida lista de sabores, todos de dar água na boca. Depois de tantos anos na fábrica, seu pai sabia mesmo fazer sorvetes maravilhosamente deliciosos.

O cardápio era o seguinte:

Sundae Triplo de Chocolate

Morango com Pedaços de Avelã

Chocolate, Chocolate e Mais Chocolate

Explosão de Pipoca com Doce de Leite

Crocante de Caramelo com Mel

Surpresa Chocolástica

Tutti Frutti Louco

Framboesa com Flocos de Chocolate

Chocolate Duplo com Creme de Coco

Pedaços de Cookie com Caramelo

Chocolate, Chocolate, Chocolate e Mais Chocolate

Doce de Leite com Pé de moleque

Pistache com Chocolate Branco

Torta de Caramelo com Banana e Gotas de Chocolate
Boom de Bombom
Supremo de Milk-shake de Marshmallow
Flocos de Chocolate Quádruplo com Toques de Mel
Miniovinhos de Chocolates com Frutas Vermelhas
Escargot com Brócolis
Chocolate, Chocolate, Chocolate, Chocolate, Chocolate,
Chocolate até Demais

Era a seleção de sabores de sorvete mais magnífica do mundo. Tirando o Escargot com Brócolis, claro.

— Hummmm... Todos parecem deliciosos, pai. É muito difícil escolher...

O pai olhou com atenção para o estoque variado de sorvetes.

— Então vou ter que lhe dar um pouquinho de cada!

— Está bem — disse Zoe. — Mas dispenso o de Escargot com Brócolis.

O pai fez uma reverência.

— Como desejar, madame.

Enquanto a filha ria, ele enchia a casquinha de sabores, um em cima do outro, até o sorvete ficar quase da altura dela. Com Armitage em uma das mãos, Zoe equilibrava o sorvete impossivelmente alto na outra.

— Não consigo comer isso tudo sozinha!

Rindo, ela olhou para o alto do prédio e viu Tina olhando lá de cima, do trigésimo sétimo andar.

— TINA! DESÇA AQUI! — gritou Zoe o mais alto que pôde.

Em pouco tempo, um monte de crianças estava olhando pela janela, todas curiosas para saber o que significava todo aquele barulho.

— VOCÊS! — gritou Zoe para as crianças lá no alto. Ela reconheceu algumas delas, mas a maioria lhe era desconhecida. Algumas ela nunca tinha visto na vida, apesar de viverem tão perto e amontoadas juntas naquele prédio feio e torto. — Desçam! Todos! E me ajudem a tomar esse sorvete todo.

Em segundos, centenas de crianças com caras sujas e ávidas estavam correndo para o trailer e entrando na fila para dar uma mordida no sorvete ridiculamente alto de Zoe. Após alguns instantes, ela entregou a torre de sorvete para Tina, que garantiu que cada criança recebesse uma parte justa, especialmente as pequeninas, cujas bocas não alcançavam tão alto.

Enquanto as risadas aumentavam e o céu escurecia, Zoe se afastou das crianças sorridentes e foi se sentar sozinha em um muro próximo. Ela limpou a sujeira do

muro e aproximou Armitage do rosto. Então deu um beijinho carinhoso no alto da cabeça dele.

— Obrigada — sussurrou para ele. — Eu amo você.

Armitage inclinou a cabeça e bateu os dentes de felicidade.

— Squiiiic, iiiic, iiiiic, iiiiic, iiiiic — disse ele.

O que, é claro, em ratês significa:

— Obrigado. Também amo você.

Epílogo

— Muito obrigado, Srta. Anã, quer dizer, Srta. Ana, por essa bela apresentação de tuba — mentiu o Sr. Al Bino.

Tinha sido um desastre. Como um hipopótamo soltando puns.

A professora deixou o palco do show de talentos da escola sem ser vista, oculta por seu enorme e pesado instrumento.

— Por ali, Srta. Ana — disse o Sr. Al Bino com voz preocupada.

— Obrigada, diretor — respondeu uma voz abafada imediatamente antes que a Srta. Ana caísse do palco. O som da tuba caindo no chão foi melhor do que quando ela estava tocando.

— Eu estou bem! — disse a Srta. Ana de sob sua tuba ridiculamente grande.

— Hã... então tá, né — disse o Sr. Al Bino.

— Mas talvez eu precise de respiração boca a boca!

Vocês podem não acreditar, mas nesse momento o diretor conseguiu ficar ainda mais pálido.

— Agora — anunciou ele, ignorando os esforços da professora para sair de debaixo de seu ridículo instrumento de latão. — Deem uma salva de palmas para o último número do show de talentos... Zoe!

Alguém tossiu nos bastidores do palco.

O Sr. Al Bino olhou de novo para sua folha de papel.

— Ah, sim, Zoe e Tina!

Todo o público aplaudiu, mas ninguém com mais força do que o pai de Zoe, que estava sentado todo orgulhoso na primeira fila. Raj estava ao lado dele, batendo palmas com animação.

Zoe e Tina entraram no palco em roupas de ginástica combinando e fizeram uma reverência. Então Tina deitou no palco, enquanto Zoe montava, dos dois lados de sua assistente, o que pareciam rampinhas feitas de caixas de cereais.

— Senhoras e senhores, meninos e meninas, por favor, uma salva de palmas para O Fantástico Armitage! — disse a menininha ruiva.

Naquele instante, Armitage correu pelo palco montado em uma motocicleta movida a corda que o pai de Zoe havia comprado em um brechó de caridade e depois consertado. O ratinho usava um minicapacete de proteção.

O público foi à loucura só de vê-lo, menos Raj, que cobriu os olhos de medo. Ele ainda tinha pavor de roedores.

— Você consegue, Armitage — sussurrou Zoe.

Enquanto ensaiavam, ele às vezes não via a rampa e passava direto, o que não rendia um número muito bom.

Armitage acelerou mais ao se aproximar da rampa.

Vamos lá, vamos lá, vamos lá, pensou Zoe.

O ratinho dessa vez acertou a rampa perfeitamente.

Isso!

Armitage decolou...

Armitage voou pelo ar...

Ah, não, pensou Zoe.

Ele começou a cair cedo demais. Ia errar a rampa do outro lado.

Armitage caiu, caiu e caiu...

Zoe prendeu a respiração...

Ele então aterrissou no barrigão de Tina.

E quicou de volta no ar.

E aterrissou na rampa do outro lado.

Foi um momento de alegria pura e completa. O público deve ter achado que era tudo proposital.

— Ai — fez Tina.

— Squiiiic — fez Armitage, parando perfeitamente sua motocicleta.

O público imediatamente ficou de pé e bateu palmas por uma eternidade. Raj até espiou por trás das mãos.

Zoe olhou para Armitage, depois para Tina e então para seu pai, que aplaudia como louco.

Ela não pôde evitar um sorriso.